英文ビジネスレター & Eメールの正しい書き方

松崎久純 ─ 著

研究社

謝 辞
Acknowledgments

本書の企画と編集では、研究社編集部の吉田尚志氏に大変お世話になりました。

企画提案時から本書の完成まで、常にポジティブな評価と良質な助言を与えてくださり、それにより本書のクオリティーは大きく引き上げられました。

また、本書の内容詳細取り決めに関する氏との意見交換は、「個人的な好みやこだわり」に基づくものではなく、「どうすることが読者にとって最良なのか」を論点とした建設的且つプロフェッショナルな話し合いで、筆者にとって大変貴重な経験となりました。ここに感謝の意を表します。

Special thanks to Arthur, Sandra, Eva, Alan, Daniel and Core Savitt, and Craig Ellis.
I would also like to thank Louise Restell and Rhys Madoc for their encouragement.

2004 年 9 月
松崎久純

本書は、英文ビジネスレターと英文Eメールを用いて海外と通信する方のために書かれています。本書の特長は以下の通りです。

- 「正式なビジネスレターの書き方」と「Eメールの書き方」の両方をカバー
- 厳選した例文に加え、解説文中でも数多くのセンテンスを紹介
- レターの構成方法を分かりやすく説明
- 丁寧な用語（単語）解説
- ターム（文中で頻繁に使う熟語）の上手な使い方を解説
- 「書き出し」、「文中」、「結び」で使えるセンテンスを、それぞれ分類して紹介

また、本書で用いた例文と解説は、以下の点に留意が払われています。

- 例文は、ビジネス通信ですぐに使えるものであること
- そして、それらはシンプルでまとまりのある文章であること
- 解説は学術的なものではなく、プラクティカルなレベルで理解できる内容であること
- 「知っておくべきルール」を十分にカバーしていること
- 早く書き上げるコツを身につけられる内容であること
- 極端にアメリカ型やイギリス型の英文に偏らないこと

Preface

　英文ビジネスレターと英文Eメールを上手に書き上げるスキルを身につけるためには、優れた例文を参考にすることが大切です。シンプルでまとまりのある例文を見てイメージを捉えることが、スキル習得への近道です。本書が皆さんのお役に立つことを願います。

2004年9月

　　　　　　　　　　　　　　　　　　　　　　　　　　　松崎久純

Part 1　英文ビジネスレターと英文Eメールの体裁

1．英文ビジネスレターの3つの様式
（1）	イギリス式 ── コンマ・ピリオド閉じ	4
（2）	アメリカ式 ── ミックス	6
（3）	中間式 ── ミックス	8

2．英文ビジネスレターの各構成要素
（1）	Letterhead	レターヘッド	10
（2）	Date	日付	11
（3）	Reference Number	参照番号	12
（4）	Inside Address	書中宛名	13
（5）	Salutation	敬辞	18
（6）	Subject	主題	20
（7）	Body	本文	20
（8）	Complimentary Close	結辞	21
（9）	Signature	サイン欄	22
（10）	Identification Marks	文章責任者表示	24
（11）	Enclosure Notation	同封物指示	25
（12）	Postscript	追伸	26
（13）	Others	その他	27

3．エアメール封筒の書き方
（1）	エアメール封筒の構成	29

v

（a）	Mailing Address	受取人住所氏名	33
（b）	Return Address	差出人住所氏名	34
（c）	Special Mailing Notation	郵便方法指示	35
（d）	On Arrival-Notation	受取人への指示	35

（2）その他　　36

4．英文Eメールの構成と特徴

（1）典型的な構成（その1）　　39
（2）典型的な構成（その2）　　42
（3）悪い例　　44

Part 2　英文ビジネスレター　20の実例

文章構成のルール

1.	通知する	Passing on Information	52
2.	リクエストする	Making a Request	56
3.	お礼を伝える	Expressing Thanks	60
4.	取引先を探す（1）	Establishing a Business Relationship 1	64
5.	取引先を探す（2）	Establishing a Business Relationship 2	68
6.	取引先の紹介を求める	Introducing Yourself to a New Customer	72
7.	買い付けをする（1）	Product Purchasing 1	76
8.	買い付けをする（2）	Product Purchasing 2	80
9.	引き合いへの返答をする	Responding to an Inquiry	84
10.	商品を売り込む（1）	How to Sell a Product 1	88
11.	商品を売り込む（2）	How to Sell a Product 2	92
12.	商品を売り込む（3）	How to Sell a Product 3	96
13.	値引きを求める	Asking for a Price Reduction	100
14.	値引き要求に返答する	Responding to a Price Reduction Request	104
15.	受注内容に対してコメントする	Commenting on an Order	108
16.	支払い請求をする	A Demand for Payment	112

17.	銀行書類の修正を求める	Authorization for Amending a Letter of Credit	116
18.	納期交渉をする	Delivery Date Negotiation	120
19.	納期を連絡する	Informing a Delivery Date	124
20.	担当者交代の連絡をする	Notification of Change of Personnel	128

Part 3　パターンで覚える文章構成の仕方

1. 便利な10通りの構成パターン

パターン1	「複数の依頼事項を番号で分ける」［問合せ］Inquiry	136
パターン2	「できるだけ箇条書き（羅列）する」［依頼］Request	138
パターン3	「もしそうであれば、もしそうでなければ」［依頼］Request	140
パターン4	「状況説明→対応した事柄の説明→依頼」［依頼］Request	142
パターン5	「要求し、理由を述べ、結ぶ」［催促］Demand	144
パターン6	「実行したことの説明→現在の状況説明」［説明］Explanation	146
パターン7	「要求事項を整理して並べる」［発注］Placing an Order	148
パターン8	「用件を加える場合に、In addition を用いて区別する」［発注］Placing an Order	150
パターン9	「問題を特定→問題の説明→質問」［指摘］Pointing Out	152
パターン10	「複雑なことを聞く時：質問を書く→ 分かりにくい部分を書く」［質問］Question	154

2. Eメールで使える用件別の例文

（1）	問合せ	Inquiry	156
（2）	依頼	Request	159
（3）	催促	Demand	162
（4）	確認	Confirmation	165
（5）	指摘	Pointing Out	167
（6）	報告	Report	170
（7）	キャンセル／お詫び	Cancel / Apology	172
（8）	通知／案内	Notification	173

Part 4　使いやすいセンテンスと事例集

1.「書き出し」で使えるセンテンス
　（1）決まったタームを使って書き出す場合　　　　　　　　　　180
　（2）はじめに感謝しながら書き出す場合　　　　　　　　　　　183
　（3）はじめに謝りながら書き出す場合　　　　　　　　　　　　185
　（4）I have を使って書き出す場合　　　　　　　　　　　　　　186
　（5）Can I please 〜?　Can you please 〜? を使ってはじめに質問する場合
　　　　　　　　　　　　　　　　　　　　　　　　　　　　　　187
　（6）添付ファイル（書類）がある場合　　　　　　　　　　　　189
　（7）はじめに挨拶を入れる場合　　　　　　　　　　　　　　　190

2.「文中」で使えるセンテンス
　（1）構成をラクにするターム　　　　　　　　　　　　　　　　191
　（2）上手なセンテンスが作れるターム　　　　　　　　　　　　195

3.「結び」で使えるセンテンス
　（1）決まったタームを使って結ぶ場合　　　　　　　　　　　　203
　（2）感謝しながら結ぶ場合　　　　　　　　　　　　　　　　　210
　（3）謝りながら結ぶ場合　　　　　　　　　　　　　　　　　　211
　（4）その他　　　　　　　　　　　　　　　　　　　　　　　　212

Part 1

英文ビジネスレターと英文Eメールの体裁

1. 英文ビジネスレターの3つの様式
2. 英文ビジネスレターの各構成要素
3. エアメール封筒の書き方
4. 英文Eメールの構成と特徴

Format

Part 1 に関する説明

　Part 1では英文ビジネスレターと英文Eメールの構成（フォーマット）について説明します。

「**1**　英文ビジネスレターの3つの様式」では、正式な英文ビジネスレターの様式を3種類紹介しています。ファックスも含む英文ビジネスレターでは、これら3種類のいずれかを用いて文章作成をすることになります。これらの様式にはそれぞれ特徴がありますが、ご自分が使いやすいと感じる様式を選んで利用されることをお勧めします。イギリス式、アメリカ式、中間式がありますが、イギリス式を用いたからといって、それをアメリカへ送ることができないということはなく、どの様式を用いても世界中に送ることができます。ご自分が利用する様式を決めて、いつもその様式を使うことにすれば便利でしょう。できれば自社の部門や会社全体で、使用する様式を統一すると良いかもしれません。

「**2**　英文ビジネスレターの各構成要素」では、英文ビジネスレターを構成する各部におけるルールを解説しています。13の項目がありますが、すべて一読するだけで理解できる簡単なルールばかりです。これらのルールを押さえることで、英文ビジネスレターはプロフェッショナルな作りになります。英文ビジネスレターを見た時に「英語をきちんと学んだ人が書いたかどうか」は、これら13項目の使い方で分かるといっても過言ではないでしょう。

「**3**　エアメール封筒の書き方」では、簡単でありながらあまり知られていないエアメール封筒の書き方のルールや、知っておくと便利な事柄をまとめています。

「**4**　英文Eメールの構成と特徴」では、英文Eメールの構成方法として典型的な様式を2例と悪い様式を1例にまとめました。英文Eメールでは、英文ビジ

ネスレターの構成と構成要素についてのルールを知っておけば、あとはEメール独特の注意点に配慮するだけで容易に文章作成ができます。

　　英語で書かれる文章は、Eメールの普及とともにその様式が崩れてきました。特にEメールの普及後に英語の通信文に接しはじめた方は、正式な英文レターの様式を学ぶ機会が少なかったかもしれません。しかし、英文Eメールの書き方はビジネスレターの様式を簡略的にしたものですから、Eメールの文章を見ると英文ビジネスレターの書き方を知っている人かどうか一目で分かってしまうケースがほとんどです。

　英文ビジネスレターと英文Eメールの様式やルールには、特に難しい取り決めがあるというわけではありません。本章の解説を読めば、注意事項はすべてカバーされています。本章を一読した後は、文章の作成時に覚えていない箇所を読み返すだけで、完璧な様式を用いたレターとEメールを作成することができるでしょう。

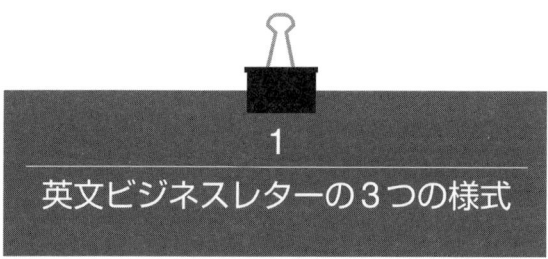

1 英文ビジネスレターの3つの様式

(1) イギリス式 —— コンマ・ピリオド閉じ(Closed Punctuation)

・イギリス式で、クラシックな様式
・きれいな構成だが、タイプに手間がかかる

イギリス式

・Inside Address（書中宛名）とSignature（サイン欄）部分の左を斜めに揃えます。
・パラグラフ[Body（本文）中の段落]の始まりを5文字程度空けます。

コンマ・ピリオド閉じ（Closed Punctuation）

・Subject（主題）とBody（本文）を除く各部分に、コンマかピリオドをつけます。

　ここでのポイントは、Date（日付）やReference Number（参照番号）などの構成部分の位置を見ることです。DateやReference Numberは右にあり、Inside Addressは左にあるのが分かります。
　そして、Inside AddressとSignatureは左を斜めに揃えてあり、Bodyでは5文字程度空けて文章が書き始められています。
　また、SubjectとBodyを除いた各部分には、コンマかピリオドがついており[Body（本文）中の文章では、普通にコンマとピリオドを使う]、Inside AddressとSignature部分は、コンマでつないでピリオドで閉じています。これが「イギリス式 —— コンマ・ピリオド閉じ」と呼ばれる様式です。

英文ビジネスレターの3つの様式

JP International Product, Inc. — Letterhead

1-2-3 Kurokabe, Higashi-ku Tel: +81-xx-xxx-xxxx
Nagoya, Aichi, Japan (461-9999) Fax: +81-xx-xxx-xxxx

Date
------------------.

Inside Address

Reference Number
------------------.

--------------------,
--------------------,
----------------------------,
------------------------,
----------------------------,
------------.

Dear ---------, — Salutation

-------------------------------- — Subject

--. — Body

--.

--------------------------------------.

------------------, — Complimentary Close

----------------------------, — Signature
------------------------.

Identification Marks
----------.
----------------------------. Enclosure Notation
--. Postscript

(2) アメリカ式 ── ミックス(Mixed Punctuation)

- アメリカ式
- タイプがラクで合理性重視

■ アメリカ式
- すべての行を左に揃えます。
- パラグラフ[Body(本文)中の段落]の始まりも、左端から書き出します。

■ ミックス (Mixed Punctuation)
- Bodyには通常のコンマとピリオド、Salutation(敬辞)にコロン、Complimentary Close(結辞)にコンマ、省略形にピリオドを用います。

　タイプしやすいように、すべてを左端から書き出すのがアメリカ式です。
　前ページの「コンマ・ピリオド閉じ」では、各構成部分にコンマかピリオドをつけていましたが、「ミックス」では、上記の箇所にだけコンマ、コロン、またはピリオドをつけます。
　また、省略形を用いる箇所では、例えばIncorporatedがInc.となるためピリオドが必要になります。

Memo

　従来アメリカ式はイギリス式と比較して読みにくいとされ、フォーマルな文章では敬遠されがちでしたが、現在では世界中で頻繁に利用され十分にフォーマルな様式として認識されています。もはやイギリスからのレターでもアメリカ式が普通です(香港などの、イギリスの影響を大きく受けた国々からのレターでは、現在もイギリス式が多く見受けられます)。イギリス式については、詳細を覚えて実践するよりも、すべての様式はイギリス式から発展したということを知っておくことが大切です。またアメリカ式では、Salutationにコロンを用いるのが特徴です。

英文ビジネスレターの3つの様式

JP International Product, Inc.   Letterhead
1-2-3 Kurokabe, Higashi-ku Tel: +81-xx-xxx-xxxx
Nagoya, Aichi, Japan (461-9999) Fax: +81-xx-xxx-xxxx

--------------------   Date
--------------------   Reference Number

------------------------------   Inside Address

Dear ---------:   Salutation

     -------------------------------   Subject

---.   Body

---.

---.

------------------,   Complimentary Close

------------------------   Signature

---------   Identification Marks

------------------------------------   Enclosure Notation
------------------------------------   Postscript

7

(3) 中間式 ── ミックス (Mixed Punctuation)

- イギリス式とアメリカ式の中間式
- 2つの利点を組み合わせた様式

■ 中間式
- 右に配置するのは Date (日付)、Reference Number (参照番号)、Complimentary Close (結辞)、 Signature (サイン欄) です。
- Body (本文) は、パラグラフを5文字程度空けて書き始めます。

■ ミックス (Mixed Punctuation)
- Body にコンマ、ピリオド、Salutation (敬辞) にコンマかコロン、Complimentary Close にコンマ、省略形にピリオドを用います。

　イギリス式とアメリカ式両方の利点を合わせた様式がこの中間式です。中間式は読みやすい上に、比較的タイプもしやすいとされています。

Memo

　中間式が、日本企業の海外向け通信で最もよく用いられているようです。イギリス式は面倒だけれど見栄えよくレターを仕上げたいという方にはお勧めです。

　これは「イギリス式とアメリカ式の中間式」ですが、あまり細かなこと (例えば Subject (主題) は左寄せか中央かなど) にとらわれる必要はないでしょう。構成部分の配置と句読点を打つ箇所に慣れれば、特に複雑だと感じることはないはずです。

英文ビジネスレターの3つの様式

JP International Product, Inc. — Letterhead
1-2-3 Kurokabe, Higashi-ku Tel: +81-xx-xxx-xxxx
Nagoya, Aichi, Japan (461-9999) Fax: +81-xx-xxx-xxxx

---------------------- Date

---------------------- Reference Number

----------------------- Inside Address

Dear ---------, — Salutation

---------------------------------- Subject

--. Body

--.
---.

-----------------, Complimentary Close

------------------------ Signature

---------- Identification Marks
------------------------------------ Enclosure Notation
--------------------------------------- Postscript

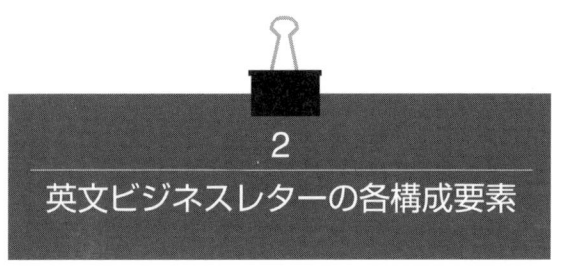

2 英文ビジネスレターの各構成要素

(1) Letterhead　レターヘッド

　レターヘッドとは、会社名や住所などが印刷された用紙のことです。会社のレターヘッドだけでなく、まれに事業部用や個人用もあります。印刷方法も1色刷りであったり2色刷りであったり、さまざまなデザインがされています。

　会社からレターを送る場合には、少なくとも1ページ目にはレターヘッドを用いるのが普通です。2ページ目以降もレターヘッドを使うのは自由ですが、1ページ目でレターヘッドを使用していれば、2ページ目以降は普通紙を用いれば良いことになっています。レターヘッドは普通紙よりもコスト高であることと、レターヘッドの上部に会社名などが印刷されている場合には、レターヘッドの印刷部分とレターの2ページ目の印字部分が重なる場合がありますので、2ページ目以降は普通紙を使う方が都合のいい面もありますし、それで十分に正式な用い方とされています。

1. 会社名、住所、電話番号、ファックス番号、Eメールアドレス、ホームページアドレスなどを明記（印刷）します。
2. 会社名以外は、用紙の下部などに印刷する場合もあり、必ずしも用紙の上部に記載する必要はありません。
3. 2ページ目以降に普通紙を用いる場合には、それらの普通紙上に会社名、日付、ページ番号を記入することになっています。コンピュータのヘッダーやフッターの機能を使うと良いでしょう。記入は紙面の上部でも下部でも分かりやすく記入できていればどちらでも構いません。

【記入例1】

                                    Sunset Tire Inc.
                                    September 10, 2005
                                    Page 2/3

【記入例2】
Sunset Tire Inc.   (2)   September 10, 2005

(2) Date　日付　

　日付は混乱を避けることがポイントです。アメリカ式、イギリス式どちらを用いても日付がきちんと分かれば良いのですが、どちらを用いるのか事業部内や社内で統一させておくのが理想的です。

　下記の5.や6.のような注意点はありますが、自分の（または事業部や会社としての）様式を決めてしまえば、それに従って書くだけです。

　レター様式でイギリス式を用いたら、日付もイギリス式にすべきか迷うかもしれませんが、そこまでの配慮は必要ないでしょう。イギリス式のレター様式で、アメリカ式の日付を記入しても問題はありません。

1. アメリカ式　　September 10, 2005
2. イギリス式　　10th September, 2005　　10 September, 2005
　　　　　　　　10th September 2005　　 10 September 2005
3. イギリス式では、日付を序数で明記する場合が多くあります。
　　　　　　　1st, 2nd, 14th, 23rd など
4. 使用する様式を統一しておけば、特にレター送付国別に様式を使い分ける必要はありません。

Part 1

5. 月を数字で表わすと混乱する場合がありますので、月は必ずアルファベットで表記します。
    × 10-09-05　　　× 2005-09-10
6. また、月は省略せずに表記します。
    × 10 Sep. 2005　　○ 10 September 2005

---

(3) Reference Number　参照番号

　参照番号は、以前書いたレターを再度参照する際や、数多くあるレターの中から必要なレターを特定して話す時のために用いるものです。「後で見つけやすくする」ために用いるものであるともいえます。レターに書かれた日付でレターや用件を特定することもありますが、同じ取引先から1日に複数のレターを受け取る場合もありますので、参照番号はとりあえずつけておくことをお勧めします。

1. 通信文を、取引先別、製品別、地区別などに分類し、参照番号を明記します。
2. Dateの下など、目立つ位置に記入します。
3. 参照番号は、本人および受取人が追って通信文を参照する際に分かりやすくしておくために用います。
4. 参照番号に言及することで、どの懸案や引合いについての話かを容易に特定することができます。
5. 参照番号は、アルファベットと数字の組み合わせで作成するのが普通です。
   【例】EUCD-001　地域記号EU、取引先記号CD、レター番号001
6. 先方の参照番号を、Your reference no. xxxと明記して用件を特定する場合も多くあります。
7. 記載の仕方　Reference No. MMC091002, Our reference #: IK-701, Ref. 0211UK など

参照番号は、とにかく後で誰が見ても分りやすい記号を用いるのが便利です。例えば上記のEUCD-001は、

> EU（ヨーロッパ地域の取引先）の
> CD（Christian Donnarierという会社）に宛てた
> 001（1通目）

ということが分ります。

会社内で複数の担当者が同じ取引先にレターを書く場合などは、遠藤さんはEUCD-endo001、古山さんはEUCD-furu001などと、とにかく分かりやすくしておくことが大切です。

(4) Inside Address　書中宛名

1. スタイル

書中宛名は、様式により記入の仕方が異なります。この違いは、それぞれのサンプル (p. 5, 7, 9) をご覧頂くとより簡単に理解できます。3種類すべてを覚えなくても、自分が使用する様式についてだけ覚えてしまえば良いでしょう。

■「イギリス式 —— コンマ・ピリオド閉じ」の場合
　・イギリス式は、左を斜めに揃える
　・コンマ・ピリオド閉じは、コンマでつないでピリオドで閉じる

■「アメリカ式 —— ミックス」の場合
　・アメリカ式は、左端をまっすぐ揃える
　・ミックスは、各行の終わりにコンマもピリオドも打たない
　　〔省略形がある場合のみピリオドを打つ　例：Avenue → Ave.〕

■ 「中間式 ── ミックス」の場合
　・中間式は、左端をまっすぐ揃える
　・ミックスは、各行の終わりにコンマもピリオドも打たない
　　〔省略形がある場合のみピリオドを打つ　例：Avenue → Ave.〕

2. 長すぎる書中宛名は省略できる

【例】

Sunnyside Product Inc.
Block C-80
Van Nuys Business Center
45 North Normandie Avenue
Simi Valley, CA 90001
U.S.A.
Attention: Mr. Alan Savitt
Chief Finance Officer

→　省略後：省略はこの程度できる

Sunnyside Product Inc.（会社名）
Simi Valley, CA（市名、州名）
U.S.A.（国名）
Attention: Mr. Alan Savitt（宛名）
Chief Finance Officer（役職名）

　書中宛名が長すぎてレターの見栄えが悪くなる場合には、住所を省略して書くことができます。省略は、上記に示した程度行います。
　上記の例では会社名、市名、州名、国名、宛名、役職名を残して、郵便番号、ストリート名、番地、ビジネスセンター名、ビジネスセンター内の番号が割愛されています。こうしなくてはいけないという明確な決まりはありませんが、上記住所はこの程度の省略が適切でしょう。

3. 〜気付、〜様方 は、(care of 〜)c/o または c.o. を使う

> Mr. Keith Wood
> c/o Ocean Trading Group, Inc.
> No. 75 Maha Bandoola St
> Pabedan Township, Yangon
> Myanmar

　c/o またはc.o. は、care of 〜の省略形で 〜気付、〜様方という意味です。上記の例では、Ocean Trading Group, Inc. 社員のMr. Keith Wood宛てということではなく、Ocean Trading Group, Inc. で間借りしているMr. Keith Wood、もしくはOcean Trading Group, Inc. の社員ではないけれども、何らかの理由でOcean Trading Group, Inc. にいるMr. Keith Wood宛て、という意味になります。

　つまり、Ocean Trading Group, Inc. でこのレターを受け取った人は、Mr. Keith Woodが社員として存在しない人であっても、会社内にいる人であろうと考えて宛名が間違いではないことを認識するわけです。

　例えば、日本から海外の子会社へ長期出張中の同僚へ郵便物を送る場合にも、子会社で郵便物を受け取った人が勘違いして処理するのを防ぐために、c/oかc.o. を用いると良いでしょう。

4. 敬　称

　さまざまな敬称がありますが、通常は次のいずれかを用いれば良いでしょう。

- 男性　Mr.
  女性　Miss (独身女性)　Mrs. (既婚女性)　Ms. (どちらにも使用可)
  その他　Prof. (Professor)　Dr. (Doctor) など
  【例】Mr. Kirk Covin　Mr Kirk Covin (ピリオドなしとすることもできます)

- 書中宛名の氏名には、ラストネームだけでなくファーストネームも明記します。

　男性の敬称で、一般的に社会的地位が高いと考えられる職業の人に使われる Esq. (Esquire)（例：Kirk Covin, Esq.）がありますが、この敬称は私たちには分かりにくいこともあり、無理に使用する必要はありません。また Esq. (Esquire) を Kirk Covin, Esq. として用いるのは、書中宛名か住所の宛名書きだけで、Salutation (Dear xxxxx) の部分では Mr. Covin としますので注意してください。

　女性の敬称は、女性だけ Miss と Mrs. の区別があることが差別的と見なされる場合がありますので、通常は Ms. を用いるのが無難です。特定の男性の配偶者であることが特別な意味を持っている場合には、わざと Mrs. とする場合もありますが、女性に対しては常に Ms. を用いておけば問題ありません。

　敬称の用い方は、Salutation（敬辞）の項 (p. 18〜) でより詳しく解説していますのでご参照ください。

5. Attention（アテンション）

- アテンション は、書中宛名の上か下に書き込みます。

- 送付先会社内でレターの届け先が混乱しないように、アテンションは必要に応じて目立たせておく必要があります。

- 担当者の氏名が分からない場合には、氏名の代わりに部署名、役職名などを明記することで受取人を特定します。その場合には、部署名、役職名に The を付けて表記します。

　【例】The Import Department（輸入部、輸入課）
　　　 The Research and Development（研究開発部、研究開発課）
　　　 The General Manager（ゼネラルマネージャー）

The Manager — Environment Planning Group（環境計画グループマネージャー）

■ アテンションは、Attention:　Attn:　Attention of～などと明記します。

■ 書中宛名は、住所の一部を省略した場合を除き、封筒の宛名と同じにします。

【Attention の付け方の例】

Attention: Mr. Craig Ellis
　　　　　Sales Manager
AFG Marketing, Inc.
18200 Balboa Ave., Suite 101
Tarzana, CA 90501
U.S.A.

Sunset Tire Inc.
345 Ellendale Pl.
Los Angeles, CA 90415
U.S.A.
Attention of the Sales Department

Mr. Alex Mhlonko
Manager: System Operation
Kong Business Association
987 Alice Avenue
Durban 5432
South Africa

The Purchasing Manager
Norm Import Inc.
765 National Road, Khan Chey
Phnom Penh
Cambodia

(5) Salutation　敬辞　　Salutation

1. 受取人の氏名が分かっていれば名前を明記しますが、敬辞では Inside address（書中宛名）と違い、フルネームは明記せずラストネームだけを用います。ファーストネームだけで呼び合う間柄であればファーストネームだけを用います。
2. イギリス式 Dear Mr. Covin, Dear Sir, Dear Sirs,（コンマを用いる）
   アメリカ式 Dear Mr. Covin: Gentleman: Gentlemen:（コロンを用いる）

■ Salutation の書き方例

【Inside Address（書中宛名）上の氏名】

Mr. Kirk Covin
Kirk Covin, Esq. (Esquire)
Mr. Kirk Covin and Eric Watt (Messrs. Kirk Covin and Eric Watt)

Miss Kate Brown
Misses Kate Brown and Anne Capes
Ms. Lucy Smith
Ms. Lucy Smith and Lisa Hall (Mmes. Lucy Smith and Lisa Hall)

JP International Product, Inc.
Mr. Steve Harris, Ph.D
会社・組織宛ての場合、氏名が分からない場合
その他

英文ビジネスレターの各構成要素

> ＊To whom it may concern（関係者の方へ）は、受取人を誰とすれば良いのか分からない場合（何らかの組織宛てであっても、担当部署も分からないような場合）に用います。

【Salutation（敬辞）の表記の例】

Dear Sir,　Gentleman:　Dear Mr. Covin,　Dear Kirk,
Dear Sir,　Gentleman:　Dear Mr. Covin,　Dear Kirk,
Dear Sirs,　Gentlemen:　Dear Kirk and Eric,

Dear Madam,　Dear Miss,
Dear Mesdames,　Mesdames,
Dear Madam,　Dear Ms. Smith
Dear Mesdames,　Mesdames,

Dear Sirs,　Gentlemen:
Dear Dr. Harris,
Dear Sirs,　Gentlemen:　Dear Sir or Madam,
Dear Purchasers,（購入者の方へ）
Dear Students,（学生の方々へ）
Dear Customers,（顧客の皆様へ）など

19

(6) Subject 主題

主題は、何に関するレターなのか一目で分かるようにするためのものです。

1. 主題を記載することにより、レターの内容を一目で分かるようにできます。
2. 主題は、Salutation（敬辞）とBody（本文）の中間に記載します。
3. アンダーラインを引くなどして、目立たせる場合もあります。
4. Re:　Subject: などを用いて記載する方法もあります。

【例】

> Subject: Our order number 0125 （弊社注文番号0125について）
> Our comment on your fax of last week （Reference No. US345）
> （先週受け取ったファックス［参照番号US345］へのコメント）

1行に収め、あまり長くせずに分かりやすくするのがコツです。

＊Subject（主題）は、Salutation（敬辞）の上に記載されることも多くあります。

(7) Body 本文

イギリス式および中間式では、各Paragraph（パラグラフ＝段落）の始まりを5文字程度空けて書き出し、アメリカ式では左寄せのまま書き出します。パラグラフの間は、1行分スペースを空けると見やすくなります。Bodyに関する詳細は、Part 2「文章構成のルール」(p. 50) を参照してください。

(8) Complimentary Close　結辞

結辞は、以下のように区別して使用します。

■ **すでにビジネス上の知り合いである場合、親しい間柄である場合**

Regards	Best regards	With best regards
Kind regards	With kindest regards	With best wishes
Sincerely	Yours	Cordially yours

■ **会社・組織内の特定人物へ宛てた場合**
　【例】Dear Mr. Covin,　Attention: Mr. Alan Savitt

【イギリス式】	【アメリカ式】
Yours sincerely	Sincerely yours
Yours truly	Truly yours

■ **特定人物ではなく、会社・組織・部署へ宛てた場合**
　【例】Attention: The Sales Department

【イギリス式】	【アメリカ式】
Yours faithfully	Yours very truly
Yours cordially	Faithfully yours

　イギリス式、アメリカ式という違いがありますが、使用するものを決めてしまえば、送付先国別に結辞を変える必要はありません。使用するものを受取人タイプ別に3種類決めてしまえば簡単なはずです。

Part 1

(9) Signature　サイン欄　　Signature

　自分の氏名を書き、その下に役職名を記します。サインする場所は、自分の氏名の上です。
　また、自分の性別を知らせるために、Mitsuru Ono (Mr.) とすることがあります。この場合、Mr. Mitsuru Ono とはせず、氏名の前か後に（　）を用いて性別を明記します。
　注意が必要なのは、自分には決定する権限のない用件や、代理で作成したレターにサインする場合です。その場合には次のいずれかの形を用います。

■ **レターの内容を決定する権限のない人がサインする場合：**

1. レターの用件を決定する権限はないが、担当者としてサインする場合

```
ABC, Inc.

By
  Kenji Uno (Mr.)
  Import Manager
```

```
p.p. ABC, Inc.


    Kenji Uno (Mr.)
    Import Manager
```

2. 外部の人（例えば弁護士）が ABC, Inc. のためにレターを書いてサインするような場合

```
For  ABC, Inc.


      Hajime Kato (Mr.)
```

■ 代理でレターを書いた人がサインする場合：

秘書などがマネージャーの代わりにレターを書いてサインするような場合

Kumi Watanabe (Ms.) wrote on behalf of Kenji Uno (Mr.) Import Manager	Kumi Watanabe (Ms.) p.p. Kenji Uno (Mr.) Import Manager

p.p.= per procuration（代理で）

　どれも完全には定義しきれませんが、このうち状況の合うものがあれば用いると良いでしょう。

　サインは日本語でしても英語でしても差し支えありませんが、サインするたびに筆跡が異ならないように、はじめは少し練習が必要かもしれません。しばらくの間使ったサインを変更するというのは、あまりある話ではありませんので注意が必要です。

(10) Identification Marks 文章責任者表示

　一般の通信文にはあまり使用しない傾向がありますが、責任所在を明確にしておく必要がある書類には、文章責任者表示を用いることがあります。

> MO / hm
> 責任者イニシャル / タイピストイニシャル

下のいずれかの書式を用います。

> MO / HM　　MO / hm　　MO : HM　　MO : hm

　現在ではパーソナル・コンピュータの普及とともに、自分でレターをタイプする管理職も多くなりましたが、それ以前の欧米では、タイピングを業務とするタイピストという職業が普通に存在していました。文章責任者表示の書き方はその当時からのもので、左が用件を伝える責任者で、右がレターをタイプしたタイピストです。タイピストのイニシャルは小文字で打つこともあります。2つのイニシャルの間に入れる記号は、何を用いても良いということではなく、上記の例のように斜線（スラッシュ）かコロンのいずれかを使用します。
　普段あまり目にすることがないかもしれませんが、弁護士から届く書類や記録として残す必要がある重要な書類には、この文章責任者表示が使われていることが多くあります。

(11) Enclosure Notation　同封物指示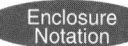

1. Enclosure または Enc.　Encl. と省略して明記します。
2. 複数の同封物がある場合は、Enclosures または Encs.　Encls. と明記します。
3. 同封物には、数量を明記します。

【例】

> Enc. Brochure 1
> Encl. Price list 1
> Encs. CD-ROM 5
> Encls. Flyer 10, Display header 3

　受取人が同封物を見れば数量は分かるはずですが、例えばチラシ（flyer）が150枚あるなど数えにくい場合のため、また数量が少なくても「何枚（何個）入れたつもりです」ということを確認するためにも数量は必ず明記しておきます。
　同封物をこのように明記しておくのは、海外（特に欧米）での商慣行上、常識的なことですので忘れないようにしましょう。Body（本文）で同封物について言及していたとしても、別途書いておくのが無難です。

(12) Postscript　追伸

1. PS. またはPSと略して書きます。
2. 追伸とは、本文の内容への追記ではなく、本文の内容とは別途伝えておきたい事柄や尋ねたい事柄について書くものです。

【例】

> 本文の内容　「船積みの遅れに対する苦情」
> 　PS.　　　「新商品のサンプル依頼」
>
> PS. Please send us samples of your new products, 2 dozens each of hairgel NH-1 and NH-2. HM.

3. 最後に書き手の氏名のイニシャルを記すこととなっていますが、近年ではあまり使われなくなっています。
4. レターは全体の見栄えも重要であるため、複数ページに及ぶレターの最後のページに追伸だけが残るようなレイアウトの取り方は避けます。その場合には、レターの構成を全体的に前詰めにして、追伸を前ページに入れてしまいます。

　追伸は日本語の手紙でも同様に用いますが、勘違いされやすいのが追伸として記述する事柄の内容です。追伸に本文の内容を補足するような事柄を書くと、レターそのものが不完全で失礼なものになりますので使い方に十分注意しましょう。
　親しい取引先との通信で、レターの書き出しに「愛犬の○○ちゃんは元気ですか？」などと書かれていることがありますが、ビジネスレターのBody(本文)にはあくまでもビジネスに関する事柄を要領よくまとめ、それ以外のことは追伸として書くのがプロフェッショナルであるといえるでしょう。

(13) Others　その他

1. Special Mailing Notation（郵便方法指示＝郵便局に対する発送方法の指示）と **On Arrival-Notation**（受取人への指示＝受取人に対する取り扱い方法のお願い）について

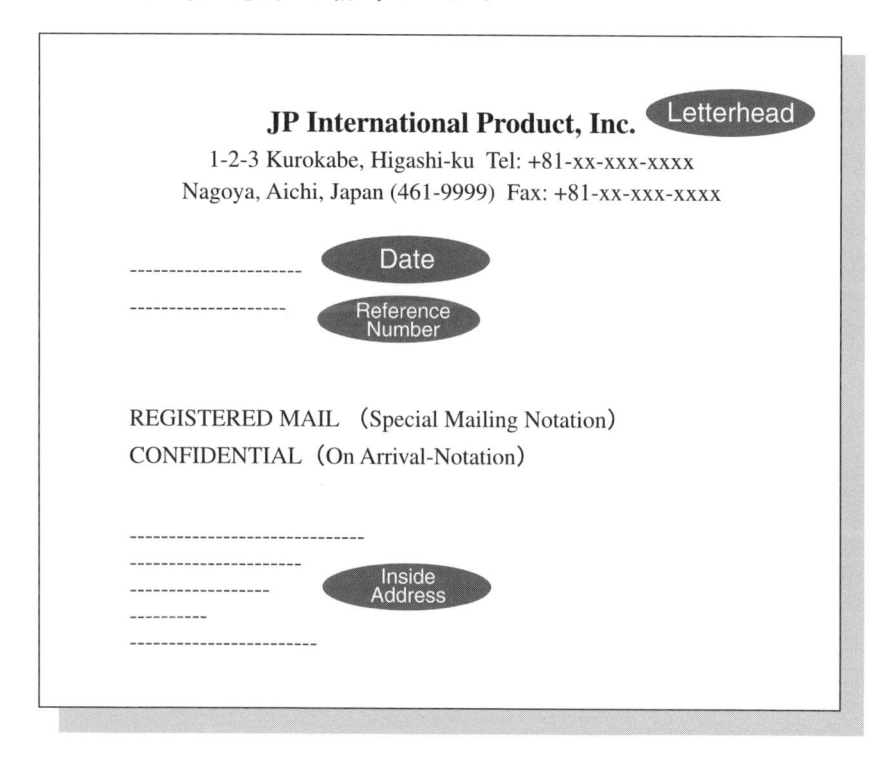

JP International Product, Inc.　〔Letterhead〕
1-2-3 Kurokabe, Higashi-ku　Tel: +81-xx-xxx-xxxx
Nagoya, Aichi, Japan (461-9999)　Fax: +81-xx-xxx-xxxx

----------------------　〔Date〕
--------------------　〔Reference Number〕

REGISTERED MAIL　（Special Mailing Notation）
CONFIDENTIAL　（On Arrival-Notation）

------------------　〔Inside Address〕

- Date（日付）の下［またはReference Number（参照番号）があればその下］、Inside Address（書中宛名）の上に位置します。
- 常に左寄せとし、大文字で記入します。
- Special Mailing Notation（p. 35参照）やOn Arrival-Notation（p. 35参照）がある場合には、それらの指示を封筒上に記載するのと同様に、こうしてレター上にも記載する必要があります。封筒上の記載については、「3. エアメール封筒の書き方」（p. 29）を参照してください。

2. Carbon Copies（カーボンコピー）について

　Carbon Copies は、Copy Notation（コピーノーテーション）や Courtesy Copy（コーテーシーコピー）とも呼ばれます。同じレターを他の人にも送っていることを知らせるためのもので、レターのいちばん下に記入します。
　下記のいずれかの方法で記載します。

cc	cc:	Copy to:

・cc は、小文字で記載します。
・氏名をフルネームで記載する方法、イニシャルだけで記載する方法、ファーストネームはイニシャルでラストネームはそのまま記載する方法、氏名と一緒に住所も記載する方法があります。
・複数の名前を記載する場合には、ラストネームのアルファベット順に縦に並べます。

cc: Mandy Lione 　　Jed Russel	cc: ML 　　JR
cc: Mr. Mandy Lione 　　123 Reseda Ave, Suite 500 　　Simi Valley, CA 98765	cc: M. Lione

3 エアメール封筒の書き方

(1) エアメール封筒の構成

エアメール（Air Mail）封筒の書き方には、アメリカ式のBlock Style（ブロック・スタイル）とイギリス式のIndented Style（インデンティッド・スタイル）があります。

```
┌─────────────────────────────────────────────────────┐
│  ┌──────────────────┐                    ┌────────┐ │
│  │       (b)        │                    │ Stamp  │ │
│  │  Return Address  │                    │  切手  │ │
│  │   差出人住所氏名   │                    └────────┘ │
│  └──────────────────┘                               │
│                      ┌──────────────┐  ┌──────────┐ │
│                      │     (a)      │  │   (c)    │ │
│                      │Mailing Address│ │Special Mailing│
│  ┌──────────────────┐│  受取人住所氏名 │  │ Notation │ │
│  │       (d)        │└──────────────┘  │郵便方法指示│ │
│  │On Arrival-Notation│                  └──────────┘ │
│  │   受取人への指示   │                               │
│  └──────────────────┘                               │
└─────────────────────────────────────────────────────┘
```

Part 1

■ アメリカ式（Block Style）

(b)
Kenji Uno
JP International Product, Inc.
1-2-3 Kurokabe, Higashi-ku
Nagoya, Aichi (461-9999)
Japan

(a)
Mr. Craig Ellis, Sales Manager
AFG Marketing, Inc.
18200 Balboa Ave., Suite 101
Tarzana, CA 90501
U.S.A.

Stamp
切手

(c)
AIR MAIL

(d)
CONFIDENTIAL

■ イギリス式（Indented Style）

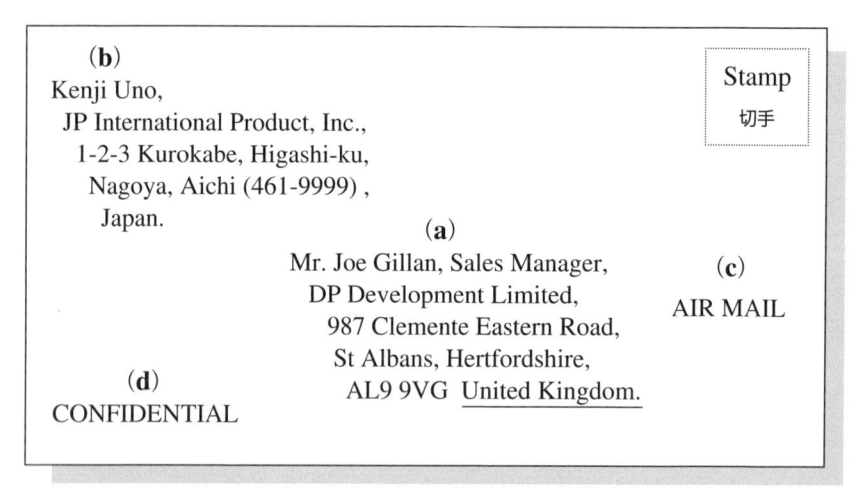

(b)
Kenji Uno,
　JP International Product, Inc.,
　　1-2-3 Kurokabe, Higashi-ku,
　　　Nagoya, Aichi (461-9999) ,
　　　　Japan.

(a)
Mr. Joe Gillan, Sales Manager,
　DP Development Limited,
　　987 Clemente Eastern Road,
　　　St Albans, Hertfordshire,
　　　　AL9 9VG United Kingdom.

Stamp
切手

(c)
AIR MAIL

(d)
CONFIDENTIAL

- アメリカ式（Block Style）は、(a) Mailing Address（受取人住所氏名）と(b) Return Address（差出人住所氏名）の各行を、左に揃えて書きます。
- イギリス式（Indented Style）では、左を斜めに揃えます（1文字ずつ右にずらします）。レターで「イギリス式 ── コンマ・ピリオド閉じ」を用いた場合のInside Address（書中宛名）と同じように、(a) Mailing Addressと(b) Return Addressのそれぞれを、コンマでつないでピリオドで閉じます。
- アメリカ式（Block Style）とイギリス式（Indented Style）のどちらを選ぶかは、レターで用いた様式で決めます。レターを「イギリス式 ── コンマ・ピリオド閉じ」で書いていれば、イギリス式（Indented Style）を用いることになります。「アメリカ式 ── ミックス」か「中間式 ── ミックス」でレターを書いていれば、アメリカ式（Block Style）を用いるのが自然です。

■ **Return Addressを封筒の裏に書く場合**

```
            Kenji Uno
    JP International Product, Inc.
    1-2-3 Kurokabe, Higashi-ku,
    Nagoya, Aichi (461-9999)
             Japan
```

封筒の中央上部に書き込みます。この場合には、アメリカ式（Block Style）、イギリス式（Indented Style）に、こだわる必要はありません。

Mailing Address（受取人住所氏名）の前には To:
Return Address（差出人住所氏名）の前には From:
とつけることができます。

> To: Mr. Craig Ellis, Sales Manager
>   AFG Marketing, Inc.
>   18200 Balboa Ave., Suite 101
>   Tarzana, CA 90501   U.S.A.

> From: Kenji Uno
>   JP International Product, Inc.
>   1-2-3 Kurokabe, Higashi-ku,
>   Nagoya, Aichi (461-9999) Japan

(a) Mailing Address　受取人住所氏名

　レターの Inside Address（書中宛名）と同じ書き方をすれば良いでしょう。下記が典型的な例です。

Mr. Craig Ellis, Sales Manager	受取人氏名、役職名
AFG Marketing, Inc.	会社名
18200 Balboa Ave., Suite 101	番地、ストリート名、ビル内の部屋番号
Tarzana, CA 90501	市名、州名、郵便番号
<u>U.S.A.</u>	国名

SUNNYSIDE PRODUCT INC.	会社名
BLOCK C-80	ビジネスセンター内の番号
VAN NUYS BUSINESS CENTER	ビジネスセンター名
45 NORTH NORMANDIE AVENUE	番地、ストリート名
SIMI VALLEY, CA 90001	市名、州名、郵便番号
<u>U.S.A.</u>	国名
ATTENTION: MR. ALAN SAVITT	アテンション：受取人氏名
CHIEF FINANCE OFFICER	役職名

・受取人の名刺を持っていれば、名刺に記載されている氏名、役職名、住所をそのまま書き込みます。
・国名にはアンダーラインをしておくと見やすいでしょう。

(b) Return Address　差出人住所氏名

Kenji Uno
JP International Product, Inc.
1-2-3 Kurokabe, Higashi-ku,
Nagoya, Aichi (461-9999)
Japan

Kenji Uno
JP International Product, Inc.
1-2-3 Kurokabe, Higashi-ku,
Nagoya, Aichi 461-9999
Japan

Kenji Uno
JP International Product, Inc.
1-2-3 Kurokabe, Higashi-ku,
Nagoya, Aichi
Japan 461-9999

・Mailing Address（受取人住所氏名）と同じ要領で、所定の場所に書き込みます。
・郵便番号はさまざまな記入の仕方がありますが、上記のいずれかを用いれば良いでしょう。
・日本語の封筒書きと違い、差出人である自分の住所氏名を受取人のそれよりも小さく書くというルールはありません。

(c) Special Mailing Notation　郵便方法指示

　Special Mailing Notationは、郵便局に対する発送方法の指示です。次のいずれかを必要に応じて書き込みます。すべて大文字で記入します。

航空便	：AIR MAIL，BY AIR MAIL，BY AIR，PAR AVION，VIA AIR MAIL
速達	：アメリカでは SPECIAL DELIVERY　イギリスでは EXPRESS DELIVERY
書留	：REGISTERED MAIL，REGISTERED
配達証明	：CERTIFIED MAIL，CERTIFIED
印刷物	：PRINTED MATTER
小包	：PARCEL POST

(d) On Arrival-Notation　受取人への指示

　On Arrival-Notationは、受取人に対する取り扱い方法のお願いをするもので、必要に応じて次のいずれかを書き込みます。すべて大文字で記入します。

親展	：PRIVATE，CONFIDENTIAL，PRIVATE AND CONFIDENTIAL，PERSONAL
極秘扱い	：STRICTLY CONFIDENTIAL
至急	：URGENT，RUSH，IMMEDIATE
転送	：PLEASE FORWARD

Part 1

　この他、同封物について知らせるために、以下の事柄を書くこともできます。

サンプル在中	：SAMPLE(S)　ENCLOSED
請求書在中	：INVOICE　ENCLOSED
進呈	：WITH　COMPLIMENTS

(2) その他

■ 大文字タイプ

　封筒には普通にタイプ（手書きはできるだけ避けます）すれば良いのですが、大文字の方が見やすいと考えて、すべて大文字でタイプすることも多くあります。

```
KENJI UNO
JP INTERNATIONAL PRODUCT INC.
1-2-3 KUROKABE, HIGASHI-KU
NAGOYA, AICHI (461-9999)
JAPAN
                                              Stamp
                                              切手

              MR. CRAIG ELLIS, SALES MANAGER
              AFG MARKETING, INC.
              18200 BALBOA AVE., SUITE 101
              TARZANA, CA 90501              AIR MAIL
              U.S.A.

CONFIDENTIAL
```

■ Aerogramme（エアログラム、航空書簡）

　Aerogrammeとは、折りたたむと封筒になる便箋で、購入時から切手が印刷されているものです。同封物を入れることはできませんが、文章を書くだけであれば通常のエアメールよりも若干安い料金で送ることができます。ビジネスではほとんど使われませんが、個人でレターを書く場合には利用すると良いでしょう。郵便局で購入できます。

4 英文Eメールの構成と特徴

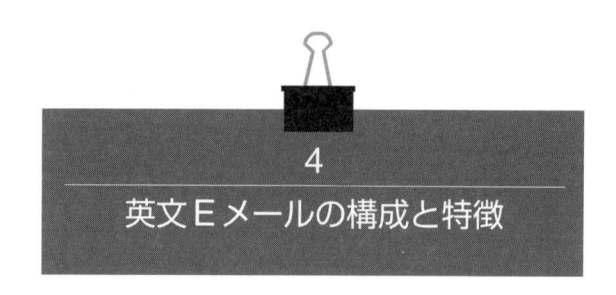

　英文Eメールの文章にはそれなりのルールがありますが、基本的にはレターの文章を多少簡潔にしたものと考えて差し障りありません。

　Eメールには独特の表現方法（例えばatを@と書くなど）があり、それらを解説した書物も多くありますが、知っておくべきことはEメールだけで使える表現方法ではなく、ネチケット（Netiquette）と呼ばれるEメール使用（インターネット上の通信）におけるエチケットです。

　本節では、おおよそ不必要な配字や画面操作方法ではなく、ビジネスパーソンとして送付するEメールを作成する際の「文章構成の仕方」と「ネチケット」について解説します。

　Eメールの文章は簡潔に用件を伝えるものですので、下記の点が基本的な留意点になります。

---

① 余分なあいさつは割愛する。
② 用件はできるだけ箇条書きで伝える。
③ 必要に応じて用件に番号をつける。
④ 全体を短めの文章にする。

　以下に典型的な構成例と悪い構成例を紹介します。本節では、大まかな構成とネチケットについて解説していますので、例文と詳細はPart 3を参照してください。

(1) 典型的な構成（その１）

```
Dear -----------,

---------------------------------------------------------
---------------------------------------------------------
----------------------------------------- .

---------------------------------------------------------
------------------------------------------------- .

---------------------------------------------------------
---------------------------------------------------------
----------------------------------------- .


------------------------------------------------- .



Sincerely,


Kenji Uno
Import Manager
JP International Product, Inc.
```

　このサンプルは、通常のレター構成をほぼそのまま用いたものです。Ｅメールの構成はこの様式が基本です。42ページのサンプルのように、これよりも短い文章でより簡略的な構成方法もありますが、すべてはこの基本様式からの変形と考えてください。
　通常のレター様式とこのＥメールの基本様式の違いには、以下の事柄

が挙げられます。

■ 各行を画面の中央あたりで折り返す

　Eメールは画面全体を使って書き込むものではなく、画面の中央あたりで折り返して次の行へ移るのがルールです。Eメールはさまざまな大きさの画面で見られていますので、横に長く書くのではなく、1行を短くして縦長に書くのがネチケットです。

■ レター様式から割愛された構成部分

　上記のサンプルには、Salutation（敬辞）、Body（本文）、Complimentary Close（結辞）、Signature（サイン欄）があるだけで、レターの他の構成部分は割愛されています。Date（日付）やSubject（主題／件名）はご存知の通り画面に別途表示されますので、それを活用します。Enclosure Notation（同封物指示）はEメールの場合には添付書類となりますので、Enclosure:（同封物）の代わりにAttached:（添付）として添付書類名を書き込むと良いでしょう。

> 【例】　Attached: Excel file ― Financial Statement February
> 　　　　　　　　Word file ― Weekly report number 23

■ Subject（主題／件名）を明確に書く

　Eメールを受け取ると、まずSubjectを見ることになります。これは英文Eメールに限ったことではありませんが、この主題（件名）がEメールの内容をはっきりと伝える必要があります。レターの主題と同様に明確に記入しましょう。

> 【例】　Subject: Request for samples ― New product KI-9001
>
> 　　　　Subject: Map attached ― To find our office

■ Complimentary Close（結辞）は簡単なものでもOK

　英文ビジネスレターの各構成要素（8）Complimentary Close（p.21）では、結辞の種類と送付先によって書き替える必要性があることを解説しました。Eメールでも基本的には同じですが、Eメールの場合、レターよりは簡単な結辞を選んで用いることができます。あまり丁寧な結辞を使うと、かえって古臭い印象を与えてしまうこともあります。Eメールで頻繁に使う結辞には次のようなものがあります。

> Regards　　　Best regards　　　With best regards
> Kind regards　Sincerely

　社内など、あまり改まった表現をする必要がない場合にはThank youやThanksなども用いますが、この2つは目上の人には使わないようにして、代わりにRegardsなどを使うと良いでしょう。

(2) 典型的な構成（その２）

```
┌─────────────────────────────────────────────┐
│ □                                           │
│                                             │
│   Dear ----------,                          │
│                                             │
│   ----------------------------------------  │
│   ----------------------------------------  │
│   ----------------------------------------  │
│   ---------------------------------------- .│
│                                             │
│   Kenji Uno                                 │
│   Import Manager                            │
│   JP International Product, Inc.            │
│                                             │
└─────────────────────────────────────────────┘
```

　Eメールは、ごく簡単な連絡やリクエストにも使用しやすいものです。上記のサンプルは、そのような短い文章を書いて送信する際の様式イメージです。

　Eメールは通信手段として効率を重視したものであるにもかかわらず、上記のサンプル程度ですむ短い用件を伝えるためだけに、不必要に長い文章が書かれていることがあります。それらの多くは、「用件だけを書いて送るのは簡略すぎて失礼」という配慮によるものと思われますが、Eメールでは儀礼的な文はできるだけ割愛し、上記のサンプル程度の構成イメージで文章作成する方が良いのです。

■ この様式もレター様式の変形

　このくらい簡略な様式でも、あくまでレター様式からの変形と考えてください。必要があればパラグラフ（段落）の数を増やし、必要な構成部分を付け足していきます。

■ **簡潔な文章と不完全な文章は違う**

　簡潔な構成でも、メッセージは丁寧なものでなくてはなりません。この点を誤解して必要な情報を十分にカバーしていなかったり、一方的で失礼な文章が送られていることも稀にあります。Eメール通信では、送り手の真意が伝わらずに誤解を受けてしまうことが多くありますので十分注意が必要です。印象の悪いEメールを送って、ビジネスに不本意な影響を及ぼすよりも、できるだけ印象の良いEメールを作成したいものです。

　本書では「印象の良いEメール」を「プロフェッショナルな構成のEメール」と捉えて、Part 3で文章構成のためのさまざまなパターンをご紹介しています。

(3) 悪い例

```
Dear -----------,

--------------------------------------------------------------------------------
------------------------------------------- .

I WOULD LIKE AN ESTIMATE-----------------------------------------------
--------------------------------------------------------------------------------
--------------------------------------------------------------------------------
--------------------------------------------------------------------------------
--------------------------------------------------- .

--------------------------------------------------------------------------------
--------------------------------------------------------------------------------
------------------------------------------------------------- .
------------------------------------------- .

--------------------------------------------------------------------------------
--------------------------------------------------------------------------------
--------------------------------------------------------------------------------
--------------------------------------------------------------------------------
--------------------------------------------------------------------------------
--------------------------------------------------------------------------------
--------------------------------------------------------------------------------
```

＊このサンプルは、Eメールの文章作成で「してはいけないこと」のいくつかを示したものです。

■ だらだらと長い文面にしない

　このサンプルでは、文面が非常に長くなっています。全体をできるだけ簡潔な文章にするのがEメールの文章作成の原則です。内容により文面が長くなることもありますが、こうした場合には、むしろワードなどの文章ファイルにレター作成をして添付する方が好ましいといえます。これだけ長い文章がEメールで送られてきた場合、よほど良い話でない限り読む気がなくなるものです。短い文章作成を心がけて、可能な部分は箇条書きにするようにしましょう。

■ 画面の右端まで書かない

　「(1) 典型的な構成（その1）」（p. 39）でも取り上げましたが、Eメールでは画面の中央あたりで次の行に移るのがルールです。こうした右に長い文は読みにくく、好ましい書き方ではありません。横長よりは縦に長い構成を取るようにしましょう。

■ 大文字は極力使わない

　Eメールに大文字（Capital Letter）を使って文章を書くことは、大声で叫んでいることを意味します。この例のように"I WOULD LIKE AN ESTIMATE～"（～の見積もりを頂きたい）とすべて大文字で書くと、ごく普通のお願いをしているつもりでも怒っているような文章になってしまいます。

　例えば「ぜひお願いしたい」と強調したいのであれば、"_I would like an estimate～_"とします。これは"I would like an estimate～"と同じことを意味しています。Eメールソフトの機能上、アンダーラインが引けないために用いられる方法です。

Part 2

英文ビジネスレター
20の実例

Samples

Part 2 に関する説明

　本章では、輸出入などの商取引で用いるビジネスレター20例文を紹介しています。例文には、取引の開始から終了までの間に使用する頻度の高いテーマを取り上げています。

　各例文には以下の解説がされています。
・例文
・日本語訳
・パラグラフ構成（各パラグラフの要点と、全体構成の解説）
・Words & Phrases（単語とタームの意味と使い方）

　これらの例文は、3～5つのパラグラフを用いて書いた正式なビジネスレターです。本章で紹介する文章構成のコツを押さえれば、ビジネスレターは簡単に構成でき、上手に書き上げることができるでしょう。
　例文の内容は、以下の通りです。

1. 通知する　　Passing on Information
2. リクエストする　　Making a Request
3. お礼を伝える　　Expressing Thanks
4. 取引先を探す（1）　　Establishing a Business Relationship 1
5. 取引先を探す（2）　　Establishing a Business Relationship 2
6. 取引先の紹介を求める　　Introducing Yourself to a New Customer
7. 買い付けをする（1）　　Product Purchasing 1
8. 買い付けをする（2）　　Product Purchasing 2
9. 引き合いへの返答をする　　Responding to an Inquiry

10.	商品を売り込む（1）	How to Sell a Product 1
11.	商品を売り込む（2）	How to Sell a Product 2
12.	商品を売り込む（3）	How to Sell a Product 3
13.	値引きを求める	Asking for a Price Reduction
14.	値引き要求に返答する	Responding to a Price Reduction Request
15.	受注内容に対してコメントする	Commenting on an Order
16.	支払い請求をする	A Demand for Payment
17.	銀行書類の修正を求める	Authorization for Amending a Letter of Credit
18.	納期交渉をする	Delivery Date Negotiation
19.	納期を連絡する	Informing a Delivery Date
20.	担当者交代の連絡をする	Notification of Change of Personnel

文章構成のルール

　複数のParagraph（パラグラフ＝段落）で文章構成を行います。基本的に、4つのパラグラフを用いて文章構成をします。

パラグラフ1	用件・結論を述べる。 または、何についてのレターかを特定する。 （あいさつや形式的な文章ではなく、用件・結論を書くか、レター内容を特定する）
パラグラフ2	用件・結論をサポートする根拠・内容・詳細を説明する。 （パラグラフ1で用件・結論を述べていない場合は、ここで述べる）
パラグラフ3	用件・結論をサポートする根拠・内容・詳細を説明する。
パラグラフ4	結びを書く。

　どんな内容のレターを書く場合でも、上記の構成で仕上げることを心がけると内容のまとまった簡潔なレター構成ができます。

　英文ビジネスレターでは「はじめに用件・結論」を述べます。何を伝えたいのか、何が結論なのかを、はじめに書くのが英文ビジネスレターの特徴です。日本語の手紙では、はじめにいろいろな理由や根拠を書き、最後に用件・結論を示しがちですが、英文ビジネスレターでは、それは好ましい書き方ではありません。

　できるだけパラグラフ1で用件・結論を述べ、パラグラフ2とパラグラフ3で、その根拠・内容・詳細を説明します。そして最後のパラグラフで結びを書いて終わります。

　パラグラフ1で用件・結論を述べる前に、どうしても何かを先に述べ

る必要がある場合（例えば、取引先からの紹介で、はじめてお便りします、と書く必要がある場合）には、パラグラフ２で用件・結論を述べることになりますが、できるだけ用件・結論が後半のパラグラフまでずれ込むことがないようにします。

　文章構成上仕方がない場合、あるいは意図的に、用件・結論を後半のパラグラフで述べることがありますが、それはあくまでも例外的に用いた構成だと考えてください。

　パラグラフは文章の内容により多くも少なくもなりますが、できるだけ４つのパラグラフにまとめるのが基本です。決してだらだらと長い文章にならないよう簡潔にまとめることを心掛けましょう。

　本章の例文は、この基本を重視した文章構成となっています。例外的な構成の文章もありますが、各例文で構成の解説をしていますので参考にしてください。

Part 2

1. 通知する

Dear

We are pleased to inform you that we have enlarged our stationery export department and widely expanded our product range. Our new lines now include paper products and office furniture.

It is our intention to place advertisements for these new products in stationery magazines published in the U.S. starting from next month. We will inform you of the details as soon as the information becomes available.

Meanwhile, please find enclosed a copy of our new catalogue and brochure together with price list showing our new products.

Should you require any further information, please do not hesitate to contact us.

Yours sincerely,

Words & Phrases

be pleased to ～　～を嬉しく思う／inform　通知する／enlarge　拡大する／stationery export department　文具輸出部門／widely　広く／expand　拡大する／product range　製品［商品］レンジ／new lines　新製品群［新製品ライン］／include　含む／paper products　紙製品／office furniture　オフィス家具／intention　意図、意向／place advertisements　広告を載せる／publish　発刊する、発行する／

Passing on Information

　弊社が文具輸出部門を拡大すると共に、製品レンジを大きく広げたことをお伝えでき嬉しく思います。現在の弊社新製品群は、紙製品とオフィス家具を含みます。

　弊社は来月より、米国で刊行されている文具雑誌で、これらの新製品を広告することにしています。その情報は追って詳細が分かり次第お知らせします。

　差し当たっては、新製品を紹介する弊社カタログ、冊子および価格表を同封しますのでご覧ください。

　更に情報が必要な場合には、どうぞご遠慮なくご一報ください。

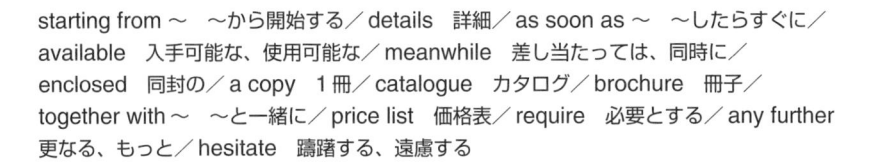

---

starting from ～　～から開始する／ details　詳細／ as soon as ～　～したらすぐに／ available　入手可能な、使用可能な／ meanwhile　差し当たっては、同時に／ enclosed　同封の／ a copy　1冊／ catalogue　カタログ／ brochure　冊子／ together with ～　～と一緒に／ price list　価格表／ require　必要とする／ any further　更なる、もっと／ hesitate　躊躇する、遠慮する

Part 2

パラグラフ構成

　このレターは「新製品群の前宣伝を目的として取引先に情報を通知する」ためのレターです。4つのパラグラフで構成されています。パラグラフごとに以下の要点がまとめられています。

パラグラフ1　文具輸出部門の拡大と製品レンジの拡大をしました。
パラグラフ2　米国の雑誌で紹介をします（＝新製品広告に力を入れます）。
パラグラフ3　価格表などを送りますので見てください。
パラグラフ4　結びのあいさつ。

　この構成で、伝えたいことを明確に記述して必要事項を通知しています。この程度のレターの長さですと読み手もあっさりと読み切ることができますし、4つのパラグラフは、それぞれ要点がはっきりしていますから、内容を簡単に理解できます。読み手はこの会社が事業拡大し、広告も行い、新製品を売り込むということを十分に把握できるでしょう。
　このレターでは、パラグラフ1とパラグラフ3の順序を入れ替えても良い構成になります。その場合どちらかというと「新製品売り込みのレター」になりますが、「伝えたいことを最初に書く」という原則から見ても良い構成であるといえます。

Words & Phrases プラス

■ We are pleased to inform you ～

be pleased to do ～は、「喜んで～する、～できて嬉しい」という意味で、このセンテンスは「～を通知できて嬉しい」という意味になります。この表現は、喜んでいるということを伝えるためのものではなく、お知らせを通知する場合などに使う決まり文句だと考えてください。

■ as soon as ～

as soon as ～は、「～するとすぐに」という意味で、本文中の as soon as the information becomes available は、「情報が入手可能になったらすぐに」という意味です。as soon as possible「できるだけ早く」という決まり文句がありますが、as soon as he comes back「彼が戻ったらすぐに」、as soon as I read your message「あなたのメッセージを読んだらすぐに」などと後にセンテンスをつなげて、「～すると［したら］すぐに」という表現を作ることができます。

■ Please find enclosed ～

「同封しているものを見てください」という決まり文句です。本文中の Please find enclosed a copy of our new catalogue は、「新しいカタログのコピーを同封しますので見てください」という意味になります。ここで用いている a copy とはコピー機で印刷するコピー（英語では photocopy）ではなく、「1冊」という意味で、同封物として新しいカタログが1冊入っているという意味ですので注意してください。

Part 2

2. リクエストする

Dear

We are in receipt of your proforma invoice, no. 6025 relating to our order no. F221 of 14th August.

Our customer, CDE Inc., is a valued client who urgently requires these products, therefore, we would request you to dispatch 20 cartons of marking pens from our order by airfreight instead of sea freight as soon as they are available for shipment.

Please advise the airfreight cost together with details of the shipping schedule to enable us to pass this information to our customer.

Your immediate attention to this matter would be appreciated.

Yours sincerely,

Words & Phrases

be in receipt of ～　～を受け取る／ proforma invoice　注文請書／ relating to ～　～に関連した／ valued client　大事な顧客／ urgently　至急／ require　必要とする／ therefore　従って／ dispatch　発送する／ carton　カートン、箱／ marking pen　マーキングペン、マーカー／ airfreight cost　空輸（貨物）料金／ instead of ～　～の代わ

Making a Request

弊社からの8月14日の注文番号F221に対して、御社からの注文請書番号6025を受け取りました。

弊社の大事な顧客であるCDE社が、これらの商品を至急必要としています。従いまして、弊社の発注からマーキングペン20カートンを、出荷準備ができ次第、船積みではなく空輸貨物として発送して頂きたくお願いします。

弊社から顧客（CDE社）へ連絡するために、空輸料金を発送スケジュールと共にお知らせください。

速やかにご対応くださいますようお願い致します。

りに／sea freight 船積み、船便／as soon as〜 〜したらすぐに／available 入手可能な、使用可能な／advise 連絡する／together with〜 〜と一緒に／detail 詳細／shipping schedule 出荷スケジュール／enable 可能にする／pass 渡す／immediate 迅速な／appreciate 感謝する、評価する

パラグラフ構成

　このレターでは出荷に関するお願いをしています。用件は「船積み出荷予定商品の一部を空輸してほしい」ということです。
　この例文も4つのパラグラフで構成されています。各パラグラフの要点は以下の通りです。

> パラグラフ1　どの注文分かを特定。
> パラグラフ2　用件：商品20カートンを船積みから空輸へ変更してほしい。
> 　　　　　　 理由：大事な顧客からのリクエストだから。
> パラグラフ3　空輸料金とスケジュールが知りたい。
> パラグラフ4　早く返答がほしい。

　このレターでは、まず始めに「どの注文についての話か」を特定しています。これは用件ではありませんが、その前に「何の話か」をはっきりさせています。
　用件は次のパラグラフ2に書いています。そして依頼する理由も同時に説明しています。その次のパラグラフ3で更なる要求事項を書き、最後のパラグラフ4で急いでほしい旨を伝えています。
　用件だけ書き並べて随分強引だと感じる方もいらっしゃるかもしれませんが、英文ビジネスレターではこのくらい明確に用件を伝えてリクエストするのが普通です。あまりにも無理を押し付ける要求であれば、それなりの説明も必要になりますが、このスタイルを基本として捉えてください。

Words & Phrases プラス

■ We are in receipt of your proforma invoice

　We are in receipt of は we received と同じ意味で、ビジネスレターでよく使われる言い回しです。are in receipt of の代わりに received を使った場合には、「いつ受け取ったのか」を一緒に明記します。（例えば、昨日受け取ったのであれば、We received your proforma invoice yesterday.）

■ valued client

　直訳すると「価値のある顧客」となりますが、「大事なお客さん」という意味です。
　以下は同じ意味を表す表現です。important client, important customer, valued customer, good customer.
　「古いお客さん」や「ひいきのお客さん」という意味では、old customer や patron を用います。

■ Please advise the airfreight cost

　「空輸（貨物）料金をお知らせください」という意味です。Please advise というのは「お知らせください」「教えてください」と頼む時の決まり文句です。
　Please tell me, Could you tell me と書いても同じ意味ですが、ビジネスレターでは Please advise とするのが良いでしょう。

Part 2

3. お礼を伝える

Dear

I would like to take the opportunity to thank you for the hospitality shown to me during my recent visit to Los Angeles. It was certainly a pleasure to meet you and the members of your company.

I feel certain our discussions about business and strategy of the expanding market in the United States are significant, and as discussed, I will prepare the necessary product samples and forward them to you by the end of this month.

Please extend my best regards to your secretary who was kind enough to arrange my market research on this visit.

Yours sincerely,

Words & Phrases

hospitality　親切さ／during 〜　〜の間／my recent visit to Los Angeles　私の最近のロサンゼルスへの訪問／certainly　確かに／pleasure　喜び／certain　確か／discussion　協議、話し合い／strategy　戦略／expand　拡大する／market　市場／significant　意義深い、重要な／as discussed　話し合った通り／prepare　用意する、

Expressing Thanks

ロサンゼルスへの訪問中は、親切にしてくださり有難うございました。あなたと会社の皆様にお会いできて光栄でした。

米国でのビジネスと市場拡大戦略に関する協議は意義深いものであったと実感しています。お話ししました通り、必要な商品サンプルを用意して月末までにお送りします。

訪問中親切に市場調査の手はずを整えてくださったあなたの秘書に、ぜひともよろしくお伝えください。

準備する／necessary　必要な／forward　送る／by the end of this month　今月の終わりまでに／extend　伝える／secretary　秘書／kind enough to ～　親切に～する／arrange　アレンジする、調整する／visit　訪問

パラグラフ構成

　このお礼状には、直訳では意味の通じにくい慣用表現が出てきます。どれもビジネスレターで用いる決まり文句です。

・ I would like to take the opportunity to thank you . . .
　（お礼を言いたい）

・ It was certainly a pleasure to meet you . . .
　（お会いできて嬉しかった）

・ I feel certain our discussions 〜 are significant . . .
　（我々の協議は意義深かった）

・ Please extend my best regards to your secretary . . .
　（秘書にお礼を伝えてください）

　お礼状に書く事柄は、おおよそ決まっているものです。通常3〜4つのパラグラフで構成します。

パラグラフ1　有難うございました。光栄でした。
パラグラフ2　何が良かったのか
　　　　　　（商談内容、市場、今後の可能性、食事、など）。
パラグラフ3　〜さんにもお礼を伝えてください。

　このレターは3つのパラグラフで構成されていますが、4つ目を付け加えるとしたらパラグラフ2に書いたような事柄をもう1つ増やすか、4つ目のパラグラフに Thank you again... という内容のセンテンスを書くと良いでしょう。もちろんお礼状は感謝の気持ちを丁寧に伝えるものですが、構成は簡潔に行うべきものです。

Words & Phrases プラス

■ during ～ と while ～

本文中の during my recent visit to Los Angeles は、「私の最近のロサンゼルスへの訪問中」という意味です。during と while は共に、「～の間」という意味ですが、

- during my recent visit to Los Angeles
  [during の後に名詞だけ書く＝ during my visit（名詞）]
- while I was visiting Los Angeles recently
  [while の後にセンテンスを書く＝ while I was visiting ～（センテンス）]

という具合に違った使い方をします。

■ our discussions about ～ are significant

「私たちの～に関する協議は意義深かった」という意味です。
「significant（意義深かった）」というのは「良かった」ということを言っているのですが、「良かった」と言いたい場合、他にはどのような表現があるのでしょうか？ 以下はその例です。

- meaningful（意味のある）
- useful（有益な）
- profitable（有益な）
- beneficial（有益な）

■ necessary product samples

「必要な商品［製品］サンプル」という言い方です。necessary を以下のように用います。

- necessary information（必要な情報）
- necessary arrangement（必要なアレンジ）
- necessary component parts（必要な構成部品）

4. 取引先を探す (1)

Dear

Your name has been forwarded to us from our distributor in Singapore 'RF Corporation', with a view to us establishing a business relationship with your company.

We, JP International Product, Inc., are a cosmetics manufacturer based in Nagoya, Japan. We have been exporting our 'Choice' brand products to Asian countries for over 30 years. As you may be aware, 'Choice' brand products have been very popular in East Asian countries and we are now intending to expand our market into Southeast Asia.

In view of our expansion we would like to ask if you would consider becoming our agent in Indonesia handling our product range. If you are interested in this offer and would like to know more we would like to arrange to visit you in Indonesia to discuss the matter in greater detail and introduce our products to you.

We look forward to hearing from you.

Yours sincerely,

Words & Phrases

forward to ~　~に転送する、~に紹介する／distributor　販売者、流通業者、販売代理店／with a view to ~　~する目的で／establish a business relationship with ~　~と取引関係を構築する／cosmetics manufacturer　化粧品メーカー／based in Nagoya　名古屋を拠点とした／over 30 years　30年以上／as you may be aware　恐らくご存知の通り／intend to expand our market　自社の市場を拡大したい／

Establishing a Business Relationship 1

弊社は御社と取引関係を結びたいと希望しており、弊社の販売代理店であるシンガポールのRF社から御社名を伺いました。

弊社JP International Product, Inc. は、名古屋に拠点を置く化粧品メーカーです。これまで過去30年間に、弊社の「Choice」ブランド製品をアジアへ輸出してまいりました。恐らく、ご存知の通り、「Choice」ブランドは東アジアで大変人気の高い製品であり、私たちは今後東南アジアでの販売市場拡大を計画しております。

弊社の市場拡大のために、御社がインドネシア市場で、弊社製品（レンジ）を取り扱う代理店となることを検討して頂けるかどうかお伺いできれば幸いです。もしご興味をお持ちでしたら、我々はインドネシアに御社を訪問し、詳細の協議と弊社製品の紹介をさせて頂きたい意向でおります。

ご返事を頂けるのを楽しみにしています。

---

in view of ～　～のために、～を考慮して／consider　考慮する、検討する／agent　代理店／handle　取り扱う／product range　製品［商品］レンジ／offer　申し入れ／discuss the matter in greater detail　事の更なる詳細を協議する／introduce our products　自社の製品を紹介する／look forward to ～　～を楽しみにしている

パラグラフ構成

　このレターは、引き合いで初めて出すレターですので、はじめに誰から紹介を受けたのかを説明しています。そして同時に、取引関係を結びたいことも述べています。このレターも用件をできるだけ簡潔にまとめていますが、どのような構成になっているのでしょうか。

パラグラフ１　　紹介者を伝える。取引関係を結びたい。
パラグラフ２　　自社の紹介。今後の事業展開。
パラグラフ３　　御社が興味を持てば訪問したい。
パラグラフ４　　結びのあいさつ。

　通常これだけの内容を伝えようとすると長い文面になりがちですので、文章構成をする際に、パラグラフごとに書き込む用件をメモしてみると良いでしょう。そのメモをする段階で、上記のような構成ができれば簡潔なレター作成ができるはずです。
　はじめに用件を述べるのが英文ビジネスレターの原則ですが、このレターはまさに用件をはじめに述べています。その後、段落ごとに自社の紹介と訪問したい意向を書いてまとめています。
　こうして段落ごとに要点をまとめていくのが、文章作成のコツです。

Words & Phrases プラス

■ distributor と agent

　distributor「販売者」「流通業者」「販売代理店」。agent「代理店」「特約店」。
　distributor と agent は、それぞれ他にも意味を持つ用語ですが、共通して「販売を行う会社［人］」という意味を持っています。
　distributor は「商品を流通させる会社［人］」で、「独占的ではなく他にも同じ商品を取り扱う業者がいる」というニュアンスを持っています。それに対して agent は「販売を行う会社［人］」で、特定商品の「代理店」「特約店」という意味合いの強い用語です。また agent は、特定商品の「独占的取り扱い業者」という意味を持つ場合があります。
　この2つの用語の定義はあいまいなため、商取引でこれらの用語を用いる場合には注意が必要です。agent といっても独占的な権利のない業者であったり、逆に自社のことを distributor と呼んでいる会社が、実は独占販売権を持っていることもあります。商取引でこれらの用語がでてきた場合には、sole（＝独占的）であるかどうか確認することが必要です。
　sole distributor in the United Kingdom であれば、英国での独占販売代理店という意味ですし、sole agent in the United States であれば、同様にアメリカでの独占販売代理店という意味です。

■ メーカー

　メーカーは manufacturer ですが、manufacturer は製造業者という意味でもあり、ブランドがなくても製造業者であれば manufacturer となります。
・A manufacturer based in Nagoya（名古屋を拠点とした製造メーカー）
・A motorcycle manufacturer（オートバイの製造メーカー）

■ view on ～, view of ～

　「～についての見解」と書く時には、view on ～, view of ～ が使えます。
・I express my view on the issue.
　（その問題についての自分の見解を述べる）
・He has a different view of the situation.
　（彼はその状況について違う見解を持っている）

Part 2

5. 取引先を探す (2)

Dear

The Trader Association in central Japan has given your name concerning the supply of writing instruments.

We are a stationery manufacturer with 3 factories and 8 sales offices all over Japan. We have been supplying all manner of writing instruments throughout Japan and some foreign countries for over 15 years.

In order to expand our product range, we are now intending to import low price ballpoint pens that can be distributed as our own brand products in Japan.

We would be interested to know if you would consider expanding your market by supplying us with your products or if you are currently supplying any of your products by OEM. We are certain that our sales network would bring your business good rewards.

For our company information, please see our Web site : www.xxxxxx.co.jp

Yours sincerely,

Words & Phrases

trader association　輸出入協会／supply　供給／writing instruments　筆記具／stationery manufacturer　文具メーカー／all over Japan　日本中に／all manner of ~　すべての種類の~／throughout Japan　日本中に／over 15 years　15年以上／in order to ~　~するために／expand　拡大する／product range　製品［商品］レンジ／intend to ~　~するつもりである／import　輸入する／low price　低価格の／

Establishing a Business Relationship 2

中部日本の輸出入協会から、筆記具の供給元として御社の紹介を受けました。

弊社は、日本中に3つの工場と8つの販売オフィスを持つ文具メーカーです。これまで15年以上に渡って、日本全国といくつかの海外市場にあらゆる種類の筆記具を供給してきました。

現在弊社は取り扱い製品の幅を広げるために、日本市場において弊社製品として販売することのできる低価格のボールペンを輸入したい意向でおります。

御社製品を弊社に供給することで、御社の販売市場を拡大することに関心をお持ちかどうか、または御社が現在OEMでの製品供給を行っているかどうかお教え頂ければ幸いです。弊社の販売網は、御社のビジネスにも良い成果を与えるであろうことを確信しております。

弊社の会社情報は、ホームページ www.xxxxxx.co.jp をご参照ください。

---

ballpoint pen　ボールペン／distribute　流通させる／as our own brand products　自社製品として／consider　考慮する／expand　拡大する／market　市場／currently　現在／OEM (Original Equipment Manufacturing)　相手先商標製品製造／certain　確かな／good rewards　良い成果／Web site　ウェブサイト、ホームページ

パラグラフ構成

> パラグラフ１　紹介者を伝える。
> パラグラフ２　自社の紹介。
> パラグラフ３　低価格ボールペンを輸入したい。
> パラグラフ４　御社から供給を受けたい。
> パラグラフ５　自社のホームページ案内。

　このレターは「4. 取引先を探す（1）」（p. 64）の例文と同様に、パラグラフ１で紹介を受けた先（このレターでは輸出入協会）について言及しています。「4. 取引先を探す（1）」の例文では、同じパラグラフ内で取引関係を結びたいことも明記していますが、この例文では、パラグラフ１は紹介者への言及だけで終わっています。

　次のパラグラフ２で自社紹介を行い、パラグラフ３で低価格ボールペンを探していることを述べ、パラグラフ４で用件（供給を受けたい旨）を述べています。そしてパラグラフ５では、自社の情報を知ってもらうためにホームページのアドレスを案内しています。

　レター構成の原則は「はじめに用件・結論を述べる」ですが、このレターはパラグラフごとに短く要点をまとめた文章となっていますので、用件がパラグラフ４で述べられていても、例外的ではありますが許容範囲と考えて良いでしょう。しかも、このレターは「御社から新規に仕入れをしたい」という内容のものですから、受け手は興味を持って読むものと思われます。

Words & Phrases プラス

■ throughout Japan

「日本中に」という意味ですが、より正確には「日本中いたる所で」という意味です。

本文中では、We have been supplying all manner of writing instruments <u>throughout Japan</u> という表現で、あらゆる種類の筆記具を<u>日本中いたる所で</u>供給していることをアピールしています。throughout Japan の代わりに in Japan を使うと、あらゆる種類の筆記具を<u>日本で</u>供給しているという意味で、throughout とは少し意味の違うセンテンスになります。例文では他に all over Japan という表現も使われています。これも「日本のいたる所で」という意味で、throughout Japan と同じ表現だと考えることができます。

■ in order to expand our product range

in order to ～ は、「～するために」という意味で、このセンテンスは「(取り扱い) 製品レンジを広げるために」という意味になります。

- in order to learn English（英語を学習するために）
- in order not to make a mistake（間違いを犯さないために）
- in order for us to take good advantage of an opportunity
（我々がその機会をうまく利用するために）

■ product

product は、「製品」とも「商品」とも訳すことができます。製造中であれば製品、流通過程に入ったら商品と呼ぶのが一般的ですが、明確な定義はありません。product の他に merchandise、commodity、goods という言い方があります。

6. 取引先の紹介を求める

Dear

We have recently learned from your Internet homepage that your association is able to introduce firms in Eastern Europe.

We are a stationery manufacturer specializing in writing instruments. Our high quality products have been widely known for their advanced features and have been distributed in many countries.

We are currently trying to increase our product market share in Eastern Europe and would like to find a company that can distribute our products in this region.

Enclosed is our catalogue showing full range of products together with a copy of our company organizational chart. We would be obliged if you could introduce companies to us that have experience in marketing stationery in Eastern Europe or purchasing groups in the area.

Your immediate attention would be appreciated.

Yours sincerely,

Words & Phrases

recently 最近、先日／ association 協会／ be able to 〜 〜することができる／ introduce 紹介する／ firm 企業／ Eastern Europe 東欧／ stationery manufacturer 文具メーカー／ specialize in writing instruments 筆記具を専門とする／ high quality products 高品質の製品／ widely known 広く知られている／ advanced features 先端的な特質／ distribute 流通させる／ currently 現在／ increase 増やす／

Introducing Yourself to a New Customer

先日インターネットのホームページで、貴協会が東欧の企業紹介を行う旨を拝見しました。

弊社は筆記具を専門とした文具メーカーです。弊社の高品質製品は先端性のあることで広く知られており、多くの国々で販売されています。

現在弊社は、東欧での製品市場シェア拡大に取り組んでおり、同地域で弊社製品を販売することができる会社を探しています。

同封しましたのは、弊社の全製品を掲載したカタログと会社組織案内です。東欧での文具販売経験を持つ会社、または購買グループをご紹介頂けましたら幸いです。

早めにご対応頂けましたら幸いです。

---

product market share　製品市場シェア／region　地域／enclose　同封する／a copy　1冊／organizational chart　組織表／would be obliged if you could ～　～して頂けたら感謝します／experience　経験／purchasing groups　購買グループ／in the area　その［この］地域で／immediate　迅速な／appreciate　感謝する、評価する

パラグラフ構成

　このレターは「5. 取引先を探す（2）」（p.68）の例文と同じように、パラグラフ1で「どのようにしてあなたの組織を知ったのか」を説明し、パラグラフ2で自社紹介をしています。ここから先も「5. 取引先を探す（2）」の例文と同じで、パラグラフ3で「何がしたいのか」（この例文では東欧で取引先を探したい）を説明し、パラグラフ4で取引先を紹介してほしいという「用件」を述べています。

　注目すべき点は、「5. 取引先を探す（2）」の例文では「取引先候補へ直接引き合い」をしていますが、この例文は「取引先の紹介を第三者にお願い」しており、2つのレターは内容が異なるにもかかわらず、全く同じ文章構成をしていることです。

パラグラフ1　紹介者を伝える。
パラグラフ2　自社の紹介。
パラグラフ3　東欧で取引先を見つけたい。
パラグラフ4　取引先を紹介してほしい。
パラグラフ5　結びのあいさつ。

　この文章構成は汎用性があり、さまざまな用件に活用できます。こうしてパラグラフごとに用件を書き込んで全体の構成を考えると、おおよその文章作成は容易に行うことができます。

　しかしながら「はじめに用件・結論を述べる」のがビジネスレターの原則ですので、できればパラグラフ4の「用件」をパラグラフ1で述べるのが理想的です。

Words & Phrases プラス

■ specialize in ～

「～を専門とする」という意味です。本文中の、A stationery manufacturer specializing in writing instruments は、「筆記具を専門とした文具メーカー」です。

- She specializes in the study of statistics.
  （彼女は統計学を専門にしている）
- His store specializes in import CDs.
  （彼の店は輸入 CD の専門店です）

■ catalogue (catalog)

「カタログ」の他に、以下の用語を覚えておくと便利です。
- brochure（パンフレットなどの小冊子）
- pamphlet（パンフレット）
- booklet（小冊子）
- flyer（チラシ）
- leaflet（チラシ）
- handbill（ビラ [手で配布するもの]）

Part 2

7. 買い付けをする（1）

Dear

I visited your stand at the recent medical instruments fair held in Copenhagen last month.

As a medical instrument supplier in Nagoya, Japan, we are currently looking to expand our product range and are seeking a supply outlet for wheelchairs so we can target nursing homes in central Japan.

We are interested in your WI-series and would appreciate prices on wheelchairs in this range. Please forward your prices F.O.B. detailing delivery and payment terms together with warranty details. We would also welcome any other information on products in or relating to this range.

Our estimation on quantity would be approximately 50 chairs for the first order, and if your prices are competitive, we would expect to place repeat orders of the same number on a regular basis.

We look forward to hearing from you in the near future.

Yours sincerely,

Words & Phrases

recent 最近の／ medical instruments fair 医療機器見本市／ held in Copenhagen コペンハーゲンで開催された／ stand スタンド、ブース／ medical instrument supplier 医療機器販売［供給］会社／ currently 現在／ expand 拡大する／ product range 製品［商品］レンジ／ seek 探す／ supply outlet 仕入れ先／ wheelchairs 車椅子／ nursing homes 養護施設／ range レンジ、種類／ forward 送る／ F.O.B. (Free On Board) 本船渡し／ detail 詳述する、詳細／ delivery 納期、配送／ payment 支払

Product Purchasing 1

先月開催されたコペンハーゲンでの医療機器見本市で、御社のブースを訪問しました。

弊社は日本の名古屋市の医療機器販売業者で、現在製品レンジを拡大したいと考えており、中部日本の養護施設向けの車椅子の仕入れ先を探しています。

御社のWIシリーズに興味を持っていますので、このタイプの車椅子の見積りを頂きたくお願いします。WIシリーズのFOB（本船渡し）価格、納期、支払条件および製品保証の詳細をお送りください。他にも同じ種類の製品や関連のある製品の情報があれば、是非ともお教えください。

弊社の初回注文数量は、おおよそ50台程度になるものと思われます。御社の製品価格に競争力があれば、定期的に同じ数量を再注文できると思います。

近くご返答頂けるのを楽しみにしています。

い／terms　条件／warranty　保証／welcome　歓迎する／relate to ～　～に関連する／estimation　見積り／quantity　数量／approximately　おおよそ／chair　椅子／the first order　初回注文／competitive　競争力のある／expect　期待する／place repeat orders　再注文する／on a regular basis　定期的に／near future　近い将来

パラグラフ構成

パラグラフ1	見本市で御社を知りました。
パラグラフ2	弊社は車椅子を仕入れたい。
パラグラフ3	WIシリーズの見積りと情報がほしい。
パラグラフ4	条件次第で初回50台発注予定。定期的な再注文もあり得る。
パラグラフ5	結びのあいさつ。

　この例文では、はじめのパラグラフ1で「見本市に訪れた者です」と伝え、その後に3つのパラグラフを使って要件を1件ずつ述べています。

　例文の英語を書くのが難しいと感じる場合には、以下を参照してください。レターには、決して難しい表現を使う必要はなく、以下のことを書けば同じ意味として通じます。

パラグラフ1	I visited the fair in Copenhagen last month.
パラグラフ2	We would like to buy wheelchairs.
パラグラフ3	We would like to request (1) F.O.B. price (2) delivery terms (3) payment terms (4) warranty details on WI-series
パラグラフ4	We may be able to order 50 chairs first. Then, we may repeat orders.
パラグラフ5	Thank you.

　英文レター作成が難しいと感じられている方は、まずパラグラフごとに、このようなシンプルな英文を書くとラクにレター作成ができます。例文で用いているレベルの文章も、上記のシンプルな文章も、意味合いはほとんど同じです。要点を簡単な英文で書くことができれば、あとはその英文を発展させていくだけで大丈夫です。

Words & Phrases プラス

■ fair と exhibition

　fair は「見本市・博覧会」の総称で、例文中の medical instrument fair（医療機器見本市）などが含まれます［trade（輸出入）fair、computer（コンピュータ）fair、office equipment（オフィス器具）fair、furniture（家具）fair など］。

　exhibition という用語もありますが、「商取引のための見本市」というよりは「展示会」という意味合いの強い用語です。

■ so, so that

　2つのセンテンスをつなげる so（so that の省略形）は「～のために［の］」という意味です。例文中の、We ～ are seeking a supply outlet for wheelchairs so we can target nursing homes in central Japan.「弊社は、中部日本の養護施設をターゲットとするための車椅子の仕入れ先を探しています」のように使います。

■ place an order

　「発注する、注文する」は、order とも make an order とも言いますが、ビジネスでは place an order と言う場合が多くあります。

・I placed an order for the books through Internet yesterday.
・I ordered the books through Internet yesterday.
　（昨日インターネットを通じてその本を発注した）
・I will place an order for a computer with the new company.
　（あの新しい会社へコンピュータを注文する）

8. 買い付けをする（2）

Dear

We have learned from a business acquaintance that your company produces and exports erasers at a reasonable price.

As a manufacturer of pencils we are interested in purchasing your products and would welcome a quotation on the following items:

(1) Quotation — as a single item
    450,000 pieces, CIF Osaka in US dollar, Delivery terms, Payment terms

(2) Quotation — as a value pack
    300,000 sets, CIF Osaka in US dollar, Delivery terms, Payment terms
    *Value pack is a package contains 4 pieces of our pencils and an eraser.
    We are going to supply you pencils and packages so that you can supply erasers by completing the packages.

We would appreciate your prompt attention to this matter.

Yours sincerely,

Words & Phrases

business acquaintance　ビジネス上の知り合い／ eraser　消しゴム／ reasonable price　リーズナブルな価格（適正であり低めの価格）／ manufacturer　メーカー／ purchase　購入する／ welcome　歓迎する／ quotation　見積り／ following items　以下の品目／ as a single item　単品として／ CIF (Cost, Insurance, Freight)　運賃保

Product Purchasing 2

弊社のビジネス上の知り合いから、御社が消しゴムを生産し、リーズナブルな価格で輸出も行っている旨を伺いました。

弊社は鉛筆を生産するメーカーで、御社製品の購入に興味がありますので、以下の品目への見積りを頂きたくお願いします。

（1）単品としての見積り
　　　450,000個、CIF 大阪　US ドル建、納期、支払条件

（2）バリューパックとしての見積り
　　　300,000セット、CIF 大阪　US ドル建、納期、支払条件
　　　＊バリューパックとは、弊社の鉛筆4本と消しゴム1個の入ったパッケージ。
　　　御社にてバリューパックを完成することとして、弊社より鉛筆とパッケージを供給します。

早めにご対応頂けましたら幸いです。

険料込み本船渡し／delivery terms　納期、配送条件／payment terms　支払条件／as a value pack　バリューパックとして／contain　含む／supply　供給する／complete　完成する

パラグラフ構成

　このレターの目的は「2種類の見積りを依頼すること」です。その2種類の見積り要領はパラグラフ2-(1)とパラグラフ2-(2)に書かれており、その前後のパラグラフは、すべてこれら2つをサポートするためのものです。

パラグラフ1　ビジネス上の知り合いから消しゴムを供給できると聞いた。
パラグラフ2　見積りがほしい。
　パラグラフ2-(1)　見積り依頼内容（1）
　パラグラフ2-(2)　見積り依頼内容（2）
パラグラフ3　結びのあいさつ。

　この種のレターを書く時には、以下の順序で書くのがコツです。

1. まず依頼内容を書き出す。
　　[この例文では、パラグラフ2-(1)とパラグラフ2-(2)]
2. 依頼するための文章を書く。[パラグラフ2]
3. 書き出し部分を書く。[パラグラフ1]
4. よろしくお願いしますと結ぶ。[パラグラフ3]

　このレターは初めて連絡を取る会社が相手ですので、パラグラフ1の書き出し部分が必要となりますが、例えば取引先へ苦情を書く場合には、不要となるでしょう。このようにポイントを書き出してパラグラフで構成を調整すると、レター作成がすばやくできます。

Words & Phrases プラス

■ reasonable price

「適正な価格」「正当な価格」という意味ですが、同時に「安い価格」という意味も含んで使用する用語です。例文では Your company produces and exports erasers at a reasonable price. とあり、直訳すると「御社は適正な価格で消しゴムを生産し輸出している」となりますが、実際のニュアンスとしては「安めの価格で〜されているそうですね」といったところです。リーズナブルなレストランという場合でも、悪くない料理なのに比較的安めで「まあまあのところ」という意味で、「適正価格のレストラン」とは少しニュアンスが違います。

■ CIF Osaka

商品の価格に大阪までの運賃と保険料を含むという意味です。

CIF Osaka 運賃保険料込み本船渡し

C = Cost（商品の価格）、I = Insurance（保険料）、F = Freight（運賃）で、大阪は商品が到着する場所（買い手が商品を受け取る場所）です。

これを取引における建値条件といいますが、他に頻繁に使われる建値には以下のものがあります。

C&F Osaka 運賃込み本船渡し

C = Cost（商品の価格）、F = Freight（運賃）で、大阪は商品が到着する場所（買い手が商品を受け取る場所）です。

FOB Tokyo 本船渡し

FOB（Free On Board）は、売り手が商品を発送する船（か飛行機）に積み込むまでの価格です。この場合 Tokyo は、売り手が輸出のために商品を積み込む場所です。

例文には、船積みか空輸のどちらで見積りがほしいのか明記されていませんので、売り手が両方の見積りを提示してくるかもしれません。その場合、CIF Osaka Vessel と記載されていれば CIF の船積みですし、CIF Osaka Airport とあれば CIF の空輸という意味になります。

9. 引き合いへの返答をする

Dear

Thank you for your inquiry of October 1 requesting prices on wheelchairs. We have pleasure in quoting as follows:

WI-series
Quantity 1 – 20 chairs: WI-10 ($125 each), WI-20 ($170 each),
　　　　　　　　　　　WI-30 ($250 each)
Quantity 21 – 50 chairs: WI-10 ($110 each), WI-20 ($155 each),
　　　　　　　　　　　　WI-30 ($235 each)
FOB Copenhagen, L/C at sight, delivery within 20 days after receiving L/C

Please note that WI-20 is one of the most popular wheelchairs in Scandinavia. The durability and reasonable pricing of the product have been widely accepted by many institutions.

Enclosed please find our warranty, a photocopy of the product certification authorized by Denmark government, and our after-sale service policy.

Should you require any further information or have any questions relating to these products please do not hesitate to contact me. Copies of our trade terms are available upon request. We look forward to receiving your order.

Yours sincerely,

Responding to an Inquiry

10月1日付の車椅子価格のお問合せを頂き有難うございました。下記の見積りをお送りでき嬉しく思います。

WIシリーズ
数量1―20脚：WI-10（$125/1脚），WI-20（$170/1脚），
　　　　　　WI-30（$250/1脚）
数量21―50脚：WI-10（$110/1脚），WI-20（$155/1脚），
　　　　　　　WI-30（$235/1脚）
FOBコペンハーゲン、L/C一覧払い、L/C受領後20日以内の出荷

WI-20は、スカンジナビアで最もポピュラーな車椅子の1つです。その耐久性とリーズナブルな価格が、多くの施設で広く受け入れられています。

製品保証書とデンマーク政府による製品認定書のコピー、およびアフターサービス規定書を同封します。

更に情報が必要な場合や、製品に関してご質問がおありの場合は、何なりとお問い合わせください。取引条件の冊子は、リクエストに応じてお送りすることができます。ご注文をお待ちしております。

Words & Phrases

inquiry　問合せ／wheelchair　車椅子／pleasure　喜び／quote　見積る／as follows　下記のように／quantity　数量／FOB (Free On Board)　本船渡し／L/C (Letter of Credit)　信用状／at sight　一覧払い／delivery　発送、配送／within 20 days　20日以内／receive　受け取る／note　注目する、留意する／popular　主流な、人気のある／durability　耐久性／reasonable pricing　リーズナブルな価格設定（適正であり低めの価格）／widely　広く／accept　受け入れる／institution　機関／enclose　同封する／warranty　保証書／photocopy　コピー／certification　認定書／authorize　認定する、公認する／government　政府／policy　規定書／require　必要とする／further　更なる／relating to ～　～に関連した／hesitate　躊躇する、遠慮する／trade terms　取引条件／available　入手可能な、使用可能な／upon request　リクエストによって／look forward to ～ing　～するのを楽しみにしている

パラグラフ構成

「7. 買い付けをする（1）」（p. 76）での問合せ（見積りの依頼）に対する返答です。製品を買いたいという見込み客に対する返答ですので、必要とされている情報と、自社から売り込んでおきたい事柄をうまくまとめる必要があります。

> パラグラフ1　見積り請求有難うございます。
> パラグラフ2　見積り（取引条件含む）。
> パラグラフ3　WI-20は人気の高い優れた製品です。
> パラグラフ4　保証、政府からの製品認定書、アフターサービスについて。
> パラグラフ5　結びのあいさつ。

このレターでは、パラグラフ1で見積り請求へのお礼を述べ、パラグラフ2で、見積りを提示しています。パラグラフ3以降は、書き手側からの売り込み文章となります。パラグラフ3では製品が優れていること、パラグラフ4では保証や認定がついていることを述べています。

製品を売り込む場合には、書きたいことがたくさんあるはずです。例えば市場シェアが高い、デザイン性に優れている、機能性が高いなど顧客にアピールしたい点は数多くあるでしょう。それをすべてレターに書き込もうとして、レターが乱雑になることがありますが、レターはあくまでも4つ前後のパラグラフでまとめ、どうしても必要な情報は添付書類として準備すると良いでしょう。

また、売り込むべき点が多くあっても、顧客が欲している情報（このレターでは見積り）は、できるだけ前の方のパラグラフで案内することが大切です（もしくは、見積りは別紙で提出しても良いでしょう）。

Words & Phrases プラス

■ Please note that ～

「～という点に注目してください、～という点にご留意ください」という意味です。例文では、WI シリーズの見積りを提示した後に製品の特長を挙げています。

・WI-20 is one of the most popular wheelchairs in Scandinavia.
（WI-20 はスカンジナビアで最もポピュラーな車椅子の1つです）

と述べていますが、このセンテンスの前に Please note that を付けています。

Please note that ～がなくても文章の意味は同じですが、こうした表現を組み込むことでビジネスレターは印象の良いものになります。

Please note that ～は、利点を書く場合にも、注意点を書く場合にも使うことができます。

■ look forward to ～ing

「～を楽しみに待つ」という意味です。

例文の We look forward to receiving your order. は、「ご注文頂くのを楽しみにしています」という意味です。このセンテンスが We look forward to receive your order. と間違って書かれることがありますので十分気をつけてください。

・We look forward to receiving your order. （○）
・We look forward to receive your order.　（×）

または

・We look forward to your order. とすることもできます。

10. 商品を売り込む（1）

Dear

Thank you for your inquiry of yesterday.

We have today shipped to you our catalogue and specifications of our products together with the material safety data sheet you requested. We are also in the process of forwarding a sample of our toner cartridge. This will be dispatched next week.

As mentioned in our previous fax, our refillable toner cartridge has already been widely used in Japan and we are certain that they will become as popular in your country.

Even though the quality of our product is superior to others, we have kept the selling price as low as possible, and we believe that once you have received and tried our toner cartridge its advantages will soon become obvious.

Yours sincerely,

Words & Phrases

inquiry　問合せ／ship　発送する／specification　製品規格仕様書／together with ～　～と一緒に／material safety data sheet (MSDS)　化学物質等安全データシート／in the process of ～　～している過程／forward　送る／toner cartridge　トナーカートリッジ／dispatch　発送する／previous　前の、以前の／refillable　補充できる／

How to Sell a Product 1

昨日はお問合せを頂き有難うございました。

本日、ご請求頂いたMSDS（化学物質等安全データシート）と共に、カタログと製品規格仕様書をお送りしました。また同時にトナーカートリッジのサンプル送付の準備も進めておりますので、来週には発送することができます。

以前のファックスでお伝えしました通り、補充が可能な弊社のトナーカートリッジは、既に日本で広く使用されており、貴国でも主流になるであろうと確信しております。

弊社製品の品質は他社製品に比較して優れているにもかかわらず、弊社では販売価格をできるだけ低く設定しておりますし、サンプルをお受取りになり、テストして頂くと、弊社製品の利点がはっきりとお分かり頂けると思います。

---

already　すでに／widely　広く／certain　確かな／popular　主流な、人気のある／even though～　～だけれども／quality　質／superior to～　～より優れている／others　他／selling price　販売価格／as low as possible　できるだけ低く／receive　受け取る／try　試す／advantage　利点／obvious　明確な

Part 2

パラグラフ構成

　顧客からの問合せに答えて商品を売り込むレターです。はじめに問合せへのお礼を書いた（パラグラフ1）後で、顧客からリクエストのあったカタログ等を送った旨と、追ってサンプルも送付する旨を書いています（パラグラフ2）。それ以降は売り込みの文章で、商品の利点を述べています。

パラグラフ1　お問合せ有難うございます。
パラグラフ2　リクエスト頂いたものを送付しました。
　　　　　　　サンプル送付は来週の予定です。
パラグラフ3　製品は日本で非常に人気が高いです。
パラグラフ4　価格は安くしてあります。
　　　　　　　サンプルからその利点が分かるでしょう。

　このように「顧客の要求に対する返答」と「売り込みたい点」を分けて構成することで、きれいな構成ができています。「9. 引き合いへの返答をする」(p. 84)でも解説しました通り、書きたいことがたくさんあっても乱雑な構成にならないよう注意しましょう。また、このレターもはじめに顧客からの問合せに答え、それから商品の売り込みを行っています。この順序を間違えないようにしましょう。

Words & Phrases プラス

■ We are certain that ～

「～であることを確信している」という意味です。

例文の We are certain that they will become as popular in your country. は、「あなたの国でもこれらの製品がポピュラーになることを確信している」という意味です。この表現は自己の見解を述べる際に用いると便利で、レターをビジネスレターらしくまとめるのに有効です。特に売り込みの文章では頻繁に使われます。

同じ意味を表すものとして以下が挙げられます。

・We believe that ～（～であると信じている）
・We are confident that ～（～に自信がある）
・We are sure that ～（～であると確信している）

■ Even though ～

「～だけれども」という意味です。

「～だけれども～である」という意味を表したい場合、センテンスを but でつなげる書き方がありますが、but は E メールでは使用しても、（その方が適切な場合を除き）正式なビジネスレターでは使用しないようにします。例えば本文中では、

・The quality of our product is superior to others, *but* we have kept the selling price as low as possible.

という意味の文章を、

・*Even though* the quality of our product is superior to others, we have kept the selling price as low as possible.

としています。

11. 商品を売り込む (2)

Dear

We would like to draw your attention to our new product, N-5 non-dry glue, which we are going to market this coming fall.

Unlike other glue our newly developed gel-paste enables users of the N-5 to leave the cap off for over 3 weeks without the gel-paste drying out. In addition, this eco-friendly N-5 is refillable and made with recyclable plastic bottle.

No other glue on the market has the same function as the N-5 and we are confident that this new product is a must for all wholesalers and retailers to have in their stock.

Please refer to the enclosed flyers for more details.

Yours sincerely,

Words & Phrases

draw 引く、引きつける／attention 注意／glue 糊、接着剤／market 販売する／this coming fall 今年の秋／unlike ～ ～のようではなく／newly 新しく／develop 開発する／gel-paste ジェルペースト（ジェル状の糊）／enable 可能にする／user ユーザー、利用者／leave ～のままにしておく／cap キャップ／over 3 weeks 3週間以上／dry out 乾く／in addition 加えて／eco-friendly 環境にやさしい／

How to Sell a Product 2

今秋から販売開始する弊社の新製品「乾かない糊」N-5のご紹介をします。

他の糊とは違い、弊社が新開発したジェルペーストは、N-5のユーザーが3週間以上キャップを開けたままにしても乾かないことを可能にしました。加えて、環境にやさしいN-5は補充ができ、リサイクル可能なプラスチックボトルで作られています。

市場に存在する糊で、N-5と同じ機能を持つものはありません。弊社は、すべての卸売業者と小売業者がこの製品を取り扱うことを確信しております。

同封のチラシで更なる詳細をご覧ください。

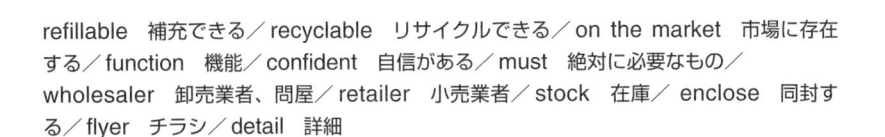

---

refillable 補充できる／recyclable リサイクルできる／on the market 市場に存在する／function 機能／confident 自信がある／must 絶対に必要なもの／wholesaler 卸売業者、問屋／retailer 小売業者／stock 在庫／enclose 同封する／flyer チラシ／detail 詳細

Part 2

パラグラフ構成

　新製品売り込みのレターです。パラグラフ1では、新製品名と発売時期について述べています。次のパラグラフ2では、新製品の特長として機能面での優位性をまとめて書いています。このレターでは、製品を説明するチラシを同封していますので、それらの特長は1つのパラグラフに短く書き、パラグラフ3では当新製品に大変自信を持っていることを述べています。

パラグラフ1　　新製品を発売します。
パラグラフ2　　機能の優位性―乾かない、補充可、リサイクルボトル使用。
パラグラフ3　　他には存在しない製品である。自信がある。
パラグラフ4　　詳細をチラシで見てください。

　この種のレターでは、パラグラフ2の部分を以下のような箇条書きにして、機能の優位性をアピールすることもできます。

パラグラフ2　　Our new product N-5 is remarkable（注目に値する）
　　　　　　　 because N-5 is :
　　　　　　　 　　*Using non-dry gel-paste
　　　　　　　 　　*Refillable
　　　　　　　 　　*Using recyclable plastic bottle

　こうした構成を取る方が、むしろ読み手には分かりやすい場合もあるでしょう。必要に応じてこうした工夫をすると効果的です。

Words & Phrases プラス

■ friendly

本文中には eco-friendly（環境にやさしい）という用語がでてきます。friendly とは、「友人らしい親しみのある」「やさしい」などの意味です。通常 He is friendly... などと使いますが、以下のように「〜 friendly」で「〜にやさしい」という表現にすることも多くあります。

- environmentally friendly（環境にやさしい）
- user-friendly（ユーザーにやさしい）
- earth-friendly motor vehicles（地球にやさしい自動車）

■ must

「絶対に必要なもの」という意味で、若干俗語的な用語ですが、ビジネスでも頻繁に使われます。

This new product is a must for all wholesalers to have in their stock. の場合、「すべての問屋が在庫として持たなくてはならないもの」という意味になります。

- This book is a must to read.
  （これは絶対に読まなくてはいけない本だ）
- Kyoto is a must place to visit in Japan.
  （京都は日本で必ず訪れるべきところだ）

12. 商品を売り込む (3)

Dear

We are writing to inform you that we have reduced the prices of our product, UD series, by 25% starting from next month.

This price reduction is the result of having moved the production base of the UD series from Malaysia to China. This change has enabled us to offer this product at the lowest possible price.

Although the production base has changed we can assure you that your consignments will be shipped 4 weeks after receipt of your order. We also guarantee the same excellent quality of product, a sample of which has been sent by international courier service today.

We look forward to receiving your new order.

Yours sincerely,

Words & Phrases

inform 通知する、知らせる／reduce （価格などを）引き下げる／starting from next month 来月から／price reduction 値引き／result 結果、成果／production base 生産拠点／enable 可能にする／at the lowest possible price 最も低く設定できる価

How to Sell a Product 3

弊社製品 UD シリーズを、来月より 25％値引き販売することをお知らせします。

この値引きは、UD シリーズの生産拠点をマレーシアから中国へ移転したことによる成果です。この変化は、弊社が本製品をできる限りの低価格で提供することを可能にしました。

生産拠点は変わりましたが、受注後 4 週間での出荷を確約します。また、本日 UD シリーズのサンプルを国際宅配便にてお送りしましたが、以前と変わらない最良の製品品質も保証します。

御社からの新規オーダーをお待ちしております。

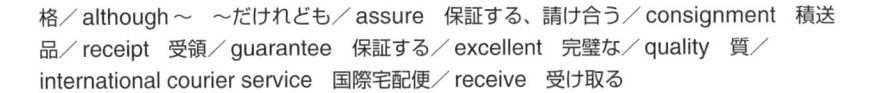

格／although〜　〜だけれども／assure　保証する、請け合う／consignment　積送品／receipt　受領／guarantee　保証する／excellent　完璧な／quality　質／international courier service　国際宅配便／receive　受け取る

Part 2

パラグラフ構成

　製品の値引きを知らせることにより、今後の受注につなげるためのレターです。構成は以下の通りです。

```
パラグラフ1    UDシリーズを来月から25％値引きします。
パラグラフ2    生産拠点の中国移転により最低価格が実現しました。
パラグラフ3    受注後4週間で出荷。品質は最良のもの。
　　　　　　　　サンプル送付済みです。
パラグラフ4    ご注文お待ちしています。
```

　それぞれのパラグラフでポイントをまとめて書き上げています。パラグラフ1では、このレターのテーマであるUDシリーズの値引きについて、パラグラフ2と3では、この値引きが中国への生産拠点移転により実現したこと、納期と品質について述べています。
　この例文のまとめ方はシンプルであり、さまざまな通知文章に利用できます。以下のイメージで考えると分かりやすいでしょう。

```
パラグラフ1    用件（伝えたい事柄）。
パラグラフ2    パラグラフ1が実現（発生）した理由。
パラグラフ3    パラグラフ1の内容により生じる変化。
パラグラフ4    結びのあいさつ。
```

　このイメージをもとに、必要に応じてパラグラフの数を増やすなどして文章構成をしてみてください。

Words & Phrases プラス

■ price

　価格は、値上げの場合 increase か raise、値下げの場合 reduce か lower が頻繁に用いられます。

- Telephone company has raised the rates.
  （電話会社が料金を引き上げた）
- Our company increased our salary.
  （会社は給料を上げてくれた）
- We have reduced the prices of our product, UD series.
  （弊社製品 UD シリーズの価格を下げた）
- The store has lowered the price of vegetable.
  （その店は野菜の価格を下げた）

　下記は、外部環境の変化により値上がり・値下がりが起こったという意味合いの表現です。

- Metal has gone up 20% in price.
  （鉄は 20％値上がりした）
- The price of beef is falling in this week.
  （今週牛肉の価格は下がっている）
- The price of land has dropped by 10%.
  （土地の価格が 10％落ちた）

13. 値引きを求める

Dear

Thank you for sending us samples and information on your new product. We have done some market research on similar products and advise you of the following.

Although the quality of your product is reliable, there are similar types of product already distributed in the market at lower prices. In order to compete with the existing brands, our purchasing price would have to be 15% lower than the price you have offered.

We would be interested in featuring this product among our main items over the next few years, and would like to include it in our year 2005 − 2006 catalogue, as this is only printed once every 2 years we would not like to miss the opportunity and would therefore ask you to consider a price reduction of 15% to enable us to compete and promote this item.

Your earliest reply would be appreciated.

Yours sincerely,

Words & Phrases

sample　サンプル／ on your new product　御社の新商品に関する／ market research　市場調査／ similar　類似の、似た／ although ～　～だけれども／ quality　質／ reliable　信頼できる、優れている／ already　既に／ distribute　流通する／ market　市場／ compete　競争する／ existing brand　既存のブランド／ purchasing price　購入価格／ offer　オファーする、提案する／ feature　（大きく）取り

Asking for a Price Reduction

御社新製品のサンプルと情報をお送り頂き有難うございました。弊社は類似製品の市場調査を行いましたので、以下に報告します。

御社新製品の品質は優れていますが、市場には既に似たタイプの製品がより低価格で出回っています。既存のブランドと競争するには、弊社の購入価格は、オファー頂いた価格よりも15％低くなくてはなりません。

弊社は、この製品を今後2～3年の主要（取り扱い）製品に取り入れたいと考えており、弊社の2005年～2006年のカタログにも掲載したい意向でおります。このカタログは2年に1度だけ印刷されておりますので、この機会を逃したくないと考えています。従いまして、弊社が当製品を市場で競争させ販売促進できるように、15％の値引きをご考慮頂きたいと思います。

できるだけ早いご返答をお待ちしております。

扱う／among～　～の中で／include　含む／miss　逃す／opportunity　機会／therefore　従って／ask　頼む、尋ねる／consider　考慮する／price reduction　値引き／enable　可能にする／promote　販売促進する／earliest　最も早い／reply　返答／appreciate　感謝する、評価する

パラグラフ構成

　取引先から提示された価格に対して値引きを要求するレターです。このレターでは、「値引きしてほしい」という用件をパラグラフ3で述べています。用件は初めに述べるのが原則ですが、「値引き要求」をいきなり書かない方が良いかもしれないという配慮から、パラグラフ3（パラグラフ4は結びのあいさつなので、実質的にはこのレターの最後）に用件を書いています。

パラグラフ1　新製品に関する市場調査をしました。
パラグラフ2　市場には先行製品がある。後発なので低価格設定が必要。
パラグラフ3　取り扱いをすればプロモーションには力を入れます。
　　　　　　ぜひ15％の値引きをお願いします。
パラグラフ4　ご返答よろしくお願いします。

　「15％の値引きが欲しい」という用件をパラグラフ3に入れる代わりに、パラグラフ1では市場調査を行った旨、パラグラフ2では市場調査の結果を述べています。そしてパラグラフ3の前半では、当製品の取り扱いに力を入れたい旨の説明を行っており、「言いにくい用件」である「値引き要求」をサポートする形を作っています。
　これは日本語によるレターの構成と同じで、状況、理由などを説明してから話の要点に到達するというスタイルですが、取引先との交渉の状況に応じて（または頻繁に値引き要求をしていて、ストレートに書きにくい時などは）こうした構成をとることが必要な場合もあるでしょう。

Words & Phrases プラス

■ reliable

「頼りになる」という意味で、製品の品質などが優れているという表現で頻繁に使われます。
・ The quality of our product is reliable.
（我々の製品の品質は信頼性がある［優れている］）

他によく使われる表現には以下があります。
・ dependable（頼りになる）
・ trustworthy（信頼できる）
・ excellent（最高に優れている）
・ superior to ～（～よりも優れている）

■ be interested in ～ing

「～することに興味がある、～しようとしている」という意味です。
本文中には、
・ We would be interested in featuring this product among our main items.
（主要（取り扱い）製品に取り入れようとしている［取り入れることに興味がある］）
として使われています。

同じ意味を表す表現として、以下を用いることもできます。
・ We are planning to feature ～（取り入れようと計画している）
・ We are considering featuring ～（取り入れることを考慮している）
・ We would probably feature ～（恐らく取り入れる）

Part 2

14. 値引き要求に返答する

Dear

We have received your fax dated November 10, and would like to thank you for your interest in our new products.

We are aware there are similar types of product on the market in your country. However, as we have illustrated on the comparison chart of our product information sheet, the quality of our product is by far superior to others. Its long-lasting performance is remarkable and we believe in comparison our product is not actually any more expensive than others in the same range.

In addition, we have set the term of warranty longer than any other manufacturers. Our term of warranty is 1 year longer than most other manufacturers generally offer.

Under the current exchange rate the Japanese Yen keeps strengthening against the dollar, 15% discount would be very difficult for us to offer. However, we would like to offer a 5% discount for the first year so that the products can be featured by promotions.

Your immediate attention to this matter would be appreciated.

Yours sincerely,

Words & Phrases

We are aware ～　～であることを承知している／ similar　類似の、似た／ on the market　市場に／ illustrate　描く、示す／ comparison chart　比較表／ quality　質／ by far superior to others　他よりも相当優れている／ long-lasting　長持ちする／ remarkable　注目に値する／ comparison　比較／ actually　実際には／ range　レン

Responding to a Price Reduction Request

11月10日付の御社ファックスを受け取りました。弊社新製品にご興味をお持ち頂き有難うございます。

貴国の市場で、同様のタイプの製品が販売されていることは存じ上げております。しかしながら、弊社の製品情報の比較テスト表に明記しました通り、弊社製品の品質は、他社製品（の品質）よりも相当優れています。長持ちする性能は注目に値し、弊社製品は実質的に、同レンジの他社製品と比較しても割高ではないと確信しています。

それに加えて、弊社では製品保証期間を他社よりも長く設定しています。弊社の保証は、他社の多くが通常提供する期間よりも1年長くしてあります。

現在の円高為替相場下での15％の値引きは極めて困難です。しかしながら、御社に当製品を販売促進製品としてお取り扱い頂きたく、初年度の5％割引をご提案したいと思います。

この件につき早めにご考慮頂ければ幸いです。

ジ／in addition　加えて／term of warranty　保証期間／manufacturer　製造業者、メーカー／generally　通常／offer　提供する、申し出る／under～　～の下では／current exchange rate　現在の為替相場／the Japanese Yen　日本円／strengthen against the dollar　ドルに対して強くなる／however　しかしながら／feature　（大きく）取り扱う／promotion　販売促進／immediate　迅速な／appreciate　感謝する、評価する

パラグラフ構成

「13. 値引きを求める」(p.100)への返答で、15％の値引き要求に対して5％の値引きを申し出るレターです。5％の値引きを申し出るというポイントがレターの後半で述べられています。

```
パラグラフ1　　先日のファックスへのお礼。
パラグラフ2　　品質が優れており、決して高くはない。
パラグラフ3　　しかも保証期間が長い。
パラグラフ4　　5％のディスカウントを申し出る。
パラグラフ5　　結びのあいさつ。
```

快く値引きを承諾する内容であれば、パラグラフ1で We are pleased to ～などの表現を用いて、はじめに用件を伝える構成にするところですが、このレターでは「無理なところを考えに考えて5％承諾する」という印象を与える書き方をしています。

We would like to offer 5% discount instead of 15% ～などとして、パラグラフ1でポイントを述べてしまう方がレターの構成がはっきりとしますが、上手な交渉のためにわざとこのような構成を取っていると考えてください。

Words & Phrases プラス

■ We are aware ～

「～を承知している」という意味です。

　本文中の例文　We are aware there are similar types of product on the market.（市場で同様のタイプの製品が販売されていることは存じ上げております）のように、先方からの指摘に対して「既に承知しています」と伝える場合などに使います。

　同じ意味でも、We know that ～（知っています）はあまり丁寧な表現ではありません。印象をやわらいだものにするためには、We are aware ～ を使うと良いでしょう。

　他の表現としては、
　・We understand ～（理解しています）
　・We have already learned ～（既に知っています）
などが良い例です。

　「十分に承知しています」と強調したい時には、以下のような表現を用いるのも良いでしょう。
　・We are fully aware ～
　・We certainly understand ～
　・We have already learned very carefully ～

■ in addition

「加えて」という意味です。

　付け加えて何かを説明したい時に in addition を使うと、文章を整えやすくなります。ただし1通のレターの中で2回以上使うものではありませんので、そうしたい場合は、同じ意味の用語として以下を用います。
　besides, also, moreover, furthermore
　これらはすべて「加えて」「更に」「その上」を意味し、ビジネスレターでよく用いる用語です。

15. 受注内容に対してコメントする

Dear

We are pleased to receive your order no. 789 and attach our order confirmation. However, we would like to draw your attention to the following points.

Item no. 2 remote controller AV-91, unfortunately we are unable to ship this item by the end of next month. As stated in our fax of November 10, we purchase some component parts of the AV-91 from Thailand, but assembly is completed in Malaysia, therefore, this product takes 2 weeks longer than other items produced in Malaysia.

You have ordered 125 pieces of the radio tuner. As one carton of this product contains 10 pieces, we would normally only supply as a carton quantity of 10. However, we have on this occasion used 12 regular carton boxes and one smaller carton box to pack the 125 pieces. We would ask you on future orders to reorder in carton quantities.

We thank you again for your order and please do not hesitate to contact us if you have any questions.

Yours sincerely,

Words & Phrases

attach 添付する／order confirmation 注文請書、注文確認書／however しかしながら／draw your attention to ～ ～に対してあなたの注意を引く／item no. 2 品番2／unfortunately 残念ながら、不幸なことに／unable できない／by までに／state 述べる／purchase 購入する／component part 構成部品／assembly 組立て／complete 完成する／therefore 従って／takes 2 weeks longer 2週間長くか

Commenting on an Order

ご注文番号789を頂き有難うございました。注文請書を添付します。しかしながら、下記の点にご留意頂きたくお願い致します。

品番2のリモートコントローラーAV-91ですが、残念ながら来月末までに出荷することができません。11月10日のファックスに明記しました通り、弊社ではAV-91のいくつかの構成部品をタイから購入していますが、組立ての仕上げはマレーシアで行っています。従って、この製品はマレーシアで生産する他の製品よりも2週間長い納期が必要です。

125台のラジオチューナーをご注文頂いております。この製品は1カートンに10台入りですので、弊社は通常カートン入り数である10台単位でのみ供給を行っています。しかしながら今回は、通常のカートン12箱と小箱1箱を使用して125台の梱包をします。今後のご注文では、カートン単位での再発注をお願いすることになります。

あらためましてご注文有難うございました。ご質問等ございましたら何なりとお問い合わせください。

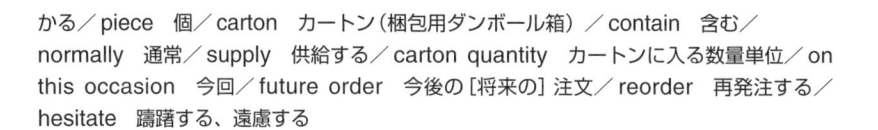

かる／piece　個／carton　カートン(梱包用ダンボール箱)／contain　含む／normally　通常／supply　供給する／carton quantity　カートンに入る数量単位／on this occasion　今回／future order　今後の[将来の]注文／reorder　再発注する／hesitate　躊躇する、遠慮する

109

Part 2

パラグラフ構成

　受注した注文に対してコメント（このレターでは注意事項）を伝えています。2つの注意事項を以下の文章構成で伝えています。

パラグラフ1　　注文へのお礼。
　　　　　　　しかし、以下の注意事項があります。
パラグラフ2　　特定品目の納期について。
パラグラフ3　　発注数量について。
パラグラフ4　　再度お礼。結びのあいさつ。

　パラグラフ1では、注文へのお礼を述べてから、注意事項がある旨を述べています。このレターは「はじめに用件を述べる」という原則に従った書き方がされています。
　パラグラフ2、パラグラフ3で、注意事項と対応方法を書き、パラグラフ4では注文に対するお礼を再度述べてから結びのあいさつをしています。
　シンプルにレターをまとめた好事例です。より分かりやすい構成イメージを示しますので参照してください。

はじめ　　ご注文有難うございます。しかし注意事項があります。
中間　　　＊注意事項1と対応方法
中間　　　＊注意事項2と対応方法
終わり　　有難うございます。ご質問があればご連絡ください。

Words & Phrases プラス

■ draw your attention

「あなたの注意を引く」という意味です。「注文を頂きましたが、以下の注意点をご覧ください」という場合には、できるだけ丁寧な言い回しができると良いでしょう。

・Please pay attention to the following points.（下記の事柄に注意してください）は、受注への返答としては少々横柄です。その場合、

・Please note the following points.（下記の事柄にご留意ください）とした方が柔らかくなります。例文中の、

・We would like to draw your attention to the following points.
（下記の事柄に対してあなたの注意を引きたい）は、「下記の事柄にご留意ください」という表現で、丁寧なお願いの仕方です。

■ be unable to ～

「～できない」という意味です。
本文中の、

・Unfortunately we are unable to ship this item by the end of next month.（残念ながら、この商品を来月末までに出荷することはできません）は、ネガティブな事柄を伝える場合の丁寧な言い回しです。

Sorry we can't ship ～ は同じ意味ではありますが、相当ラフな印象を与えます。

ビジネスレターでは、できるだけ丁寧な（ビジネスレターにふさわしい）言い回しが必要です。

例えば「これらの品目を本日出荷することはできません」と伝える場合には、下記の表現が適切です。

・We are afraid that it is not possible to ship the items today.

・It seems it would be difficult to dispatch the items today.

16. 支払い請求をする

Dear

Request of payment for order no. 799

Having shipped your order no.799, our proforma invoice 5055, on January 20 payment was due by March 20. However, the payment is now 2 weeks overdue.

As we are currently processing your new order no. 800, the goods being ready for shipment within the next 3 days, we must request your bank remittance by return.

If payment is not received within the next 3 days we will have no alternative but to suspend shipment of your current order until payment of order no. 799 has been received.

Your urgent attention to this matter would be appreciated.

Yours sincerely,

Words & Phrases

payment 支払い／proforma invoice 注文請書／due 締め切りで、支払い期日の来た／overdue 期限を過ぎている／currently 現在／process 処理する、進める／goods 製品、商品／within the next 3 days 次の3日以内に／bank remittance

A Demand for Payment

注文番号 799 への支払いのお願い

1月20日に出荷した御社注文番号799、弊社注文請書番号5055の支払い期日は、3月20日でした。しかしながら、現在支払い期日を過ぎて2週間となります。

現在御社の新規注文番号800を処理中で、製品は3日以内に出荷可能となりますので、銀行送金による支払い（銀行送金により折り返しご返答頂くこと）をお願いしなくてはなりません。

もし3日以内に支払いを受けられない場合には、注文番号799の支払いを受領するまで、現在のご注文の出荷を見合わせることとせざるを得ません。

早急のご対応をお願い致します。

銀行送金／by return　折り返し／alternative　選択肢、代替手段／suspend　一次停止する、中止する／receive　受け取る／urgent　早急の、至急の／appreciate　感謝する、評価する

パラグラフ構成

　このレターでは、Subject（主題）に Request of payment for order no. 799（注文番号799への支払いのお願い）と書いて内容を特定しています。支払い請求は、支払いが遅れている顧客に対して継続して行うことが必要です。

　追ってもう一度請求のレターを送る場合には Request of payment for order no. 799（2）などとしますし、3回目の請求であれば Request of payment for order no. 799（3）として、後に支払いの滞納が深刻な問題となった時に、請求を繰り返していることを証明しやすく、自分自身にとっても分かりやすいようにしておきます。

パラグラフ1	注文番号799への支払いが遅れています。
パラグラフ2	新規注文番号800を出荷しますので、至急支払ってください。
パラグラフ3	即支払いがない場合には、新規注文番号800の出荷を見合わせます。
パラグラフ4	結びのあいさつ。

　支払い請求のレターでは、特に明確な文章の書き方を心掛けましょう。普段フレンドリーに接している仲の相手でも、支払い請求は書面で確実に行い、曖昧な書き方は絶対にしないようにします。

Words & Phrases プラス

■ overdue
「期限を過ぎている」
- The payment is overdue.（支払いが遅れている）
- The payment is 2 weeks overdue.（支払いが２週間遅れている）
- the terms of payment（支払条件）
- the due date（支払い期日、締め切り期日）

due は「期限」という意味で使われる用語で、overdue は due を over しているという意味です。due は支払いだけでなく、提出期限や申し込み締切日など、あらゆる期限について用いる用語でもあります。

■ within the next 3 days
「次の３日以内に」

within を用いることで、「次の３日以内に必ず」という意味になります。

in next 3 days でも同じことを意味しますが、within を用いるとより正確な期限を設定することになります。

次のようなニュアンスの違いもあります。
- He will be back in 3 hours.（彼は３時間経った頃に戻る）
- He will be back within 3 hours.（彼は３時間以内に戻る）

本文中の、If payment is not received within the next 3 days, . . . は、「３日以内に支払いがなければ…」という明確な期限を設定しています。

17. 銀行書類の修正を求める

Dear

We have received your letter of credit no. 1234-56789 covering your order no. 600. Concerning the L/C, we would like to request that you amend the document as follows:

On the L/C, the latest date of shipping is stated as November 10. However, as you are aware we need 30 days from receipt of your order to complete. Therefore, we must request you to amend the date to November 30 or later.

Also, as it is our intention to ship Free of Charge product samples and empty displays with your current shipment the clause "Free goods allowed" must be included on the L/C. If all future L/C's issued contain this sentence it will allow us to ship the necessary product samples and replacements with no charge.

We thank you for your understanding on this matter. Your prompt attention would be appreciated.

Yours sincerely,

Words & Phrases

letter of credit (L/C) 信用状／concerning～ ～について／amend 修正する／as follows 下記のように／the latest date of shipping 最終の出荷日／state 述べる、記載する／however しかしながら／as you are aware ご存知の通り／receipt 受取り／complete 完成する、完了する／November 30 or later 11月30日か、それ以降／intention 意図／Free of Charge 無償の／empty 空の／display 陳列

Authorization for Amending a Letter of Credit

御社注文番号600に対する信用状番号1234-56789を受け取りました。この信用状について、下記の通り修正をお願い致します。

この信用状には、最終の船積み期日が11月10日と記載されています。しかしながら、ご承知の通り弊社では、受注後製品の完成までに30日を必要とします。従って期日を11月30日か、それ以降に修正して頂くようお願いしなくてはなりません。

また、今回のご注文の出荷と一緒に無償商品と空陳列台を出荷したい意向でおりますので、信用状に「無償商品許可」と条項を加えて頂かなくてはなりません。今後すべての信用状にこの条項を記載して頂くと、弊社は必要な製品サンプルや取替品を無償で出荷することができます。

この件に関するご理解に感謝致します。お早めにご対応頂ければ幸いです。

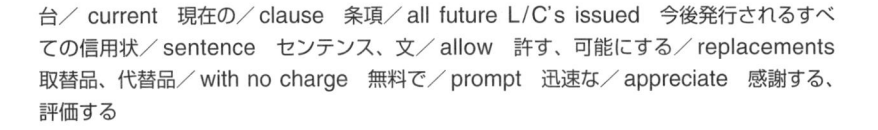

台／current 現在の／clause 条項／all future L/C's issued 今後発行されるすべての信用状／sentence センテンス、文／allow 許す、可能にする／replacements 取替品、代替品／with no charge 無料で／prompt 迅速な／appreciate 感謝する、評価する

Part 2

パラグラフ構成

　このレターは、「15. 受注内容に対してコメントする」(p.108) と同じ構成です。

　パラグラフ1で信用状を受け取った旨と、修正してほしい箇所がある旨を述べています。このレターも、「はじめに用件を述べる」という原則に従っています。

　パラグラフ2とパラグラフ3では、それぞれの修正内容を書き、パラグラフ4は結びのあいさつとしています。

```
パラグラフ1    信用状を受け取りました。
              以下の箇所を修正してください。
パラグラフ2    最終出荷期日について。
パラグラフ3    付け加えてほしい条項。
パラグラフ4    結びのあいさつ。
```

　このレターもシンプルにまとめた好事例ですが、ここでも分かりやすい構成イメージを見てみましょう。

```
はじめ   信用状を受け取りました。修正箇所があります。
中間     ＊修正箇所 No.1
中間     ＊修正箇所 No.2
終わり   ご理解有難うございます。ご質問があればご連絡ください。
```

　多くのレターをこの構成イメージで捉えることができるはずです。これを1つの構成スタイルとして意識すると良いでしょう。

Words & Phrases プラス

■ letter of credit (L/C)
「信用状」
輸出入で必要な書類：
- price list（価格表）
- quotation（見積り）
- proforma invoice（プロフォーマ・インボイス [注文請書]）
- contract（契約書）
- purchase order（注文書）
- insurance policy（保険証書）
- invoice（請求書）
- packing list（パッキングリスト [包装明細書]）
- shipping instruction（船積依頼書）
- export declaration（輸出申告書）
- bill of lading (B/L)（船荷証券）
- air waybill（航空運送状）
- shipping advice（船積案内）
- certificate of origin（原産地証明書）
- customs invoice（税関用送り状）

■ Free of Charge
「無料」という意味ですが、他に free、with no charge、no charge、without charge、gratis などがあります。
「無料の商品」には、free goods という表現を使う場合もあります。

18. 納期交渉をする

Dear

We would appreciate your help and assistance regarding the shipment of our order no. 333 for 200 cartons of floppy disks.

We understand the 200 cartons (Black 100 cartons, White 30 cartons, Blue 50 cartons and Green 20 cartons) are currently being produced and will be ready by the end of this month.

Due to an urgent request from one of our customers would it be possible to supply the goods earlier than the end of this month. If so, please arrange to ship them by airfreight instead of sea freight as soon as they are available.

This customer has purchased almost half the stocks of floppy disks we usually order and is in particular urgent need of black and white. Would it be possible for you to produce these colours first and airfreight them ahead of the blue and green. We will of course be willing to stand both sets of airfreight charges.

Your prompt reply would be appreciated.

Yours sincerely,

Words & Phrases

appreciate 感謝する、評価する／regarding〜 〜について／shipment 出荷／carton カートン(梱包用ダンボール箱)／due to 〜 〜のために／urgent request 緊急のリクエスト／supply 供給する／earlier than the end of this month 今月末よりも早く／if so もしそうであれば／arrange アレンジする、手配する／airfreight

英文ビジネスレター　20の実例

Delivery Date Negotiation

弊社注文番号333 フロッピーディスク200カートンの出荷について、助けて頂いており有難うございます。

現在200カートン（黒100カートン、白30カートン、青50カートン、緑20カートン）を製造して頂いており、今月末までに出荷準備が整う予定として頂いています。

弊社顧客の1社から緊急の要望がありますので、これらの製品を今月末よりも早く供給して頂くことはできませんでしょうか。もし可能であれば、製品が完成次第、船積みの代わりに空輸貨物として出荷して頂く手配をお願いします。

この顧客は、弊社が御社へ注文するフロッピーディスクのほぼ半分を購入しており、特に黒と白を至急必要としています。この2色を青と緑より先に製造して空輸して頂くことは可能でしょうか。もちろん弊社は、2回分の空輸料金を負担します。

早急な返答をお待ちしております。

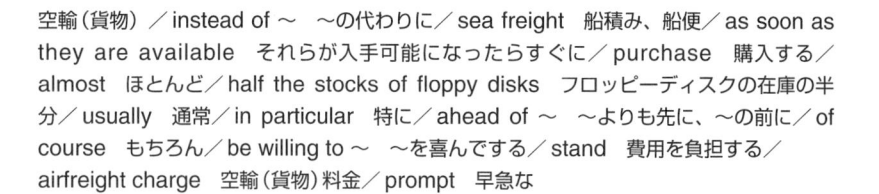

空輸（貨物）／instead of ～　～の代わりに／sea freight　船積み、船便／as soon as they are available　それらが入手可能になったらすぐに／purchase　購入する／almost　ほとんど／half the stocks of floppy disks　フロッピーディスクの在庫の半分／usually　通常／in particular　特に／ahead of ～　～よりも先に、～の前に／of course　もちろん／be willing to ～　～を喜んでする／stand　費用を負担する／airfreight charge　空輸（貨物）料金／prompt　早急な

パラグラフ構成

　これは、納期・出荷の詳細に関するやり取りが続いている中で書いた交渉のレターです。少々込み入った内容のレターですが、下記のように要点をまとめています。

パラグラフ１　　発注番号333 フロッピーディスク200 カートンの件です。
パラグラフ２　　注文内容を明記して確認。
パラグラフ３　　納期を早めてください。
　　　　　　　　それが可能であれば船積みから空輸へ変更してください。
パラグラフ４　　大事な顧客からの要求なのです。
　　　　　　　　発注品の製造順番指示１（黒と白が先）。空輸で発送。
　　　　　　　　発注品の製造順番指示２（青と緑が次）。空輸で発送。
　　　　　　　　空輸料金は負担します。
パラグラフ５　　結びのあいさつ。

　この手のレターでは、内容に誤解が生じないように製品名などを確認しながら書いていくと良いでしょう。パラグラフ２では、製品の色と発注数量を明記して確認しています。そして次のパラグラフ３で「納期を早めて欲しい旨＝用件」を述べています。パラグラフ４では、パラグラフ３での要求が受け入れられる場合の詳細を指示しています。パラグラフ４で依頼するのは少々厄介な事柄ですので、「これはフロッピーディスクの在庫半分を買い取る大事な顧客である」ことを冒頭に書いて、要求を聞いてもらおうとしています。
　これだけの複雑な要求の場合には、パラグラフ２とパラグラフ４を箇条書きにするのも分かりやすい書き方の方法です。

【例：パラグラフ2】
The followings are being produced and will be ready by the end of this month: (Total 200 cartons)
Black 100 cartons
White 30 cartons
Blue 50 cartons
Green 20 cartons

【例：パラグラフ4】
This customer has purchased almost half the stocks of floppy disks we usually order.
They now particularly need black and white. Would it be possible for you to produce as:
    Black and White first
    Blue and Green next?
We will of course be willing to stand both sets of airfreight charges.

Words & Phrases プラス

■ They are currently being produced.

「それらは現在生産されている」という意味です。'be being 〜 ed' は、「現在〜されている」という表現です。
- My car is being fixed.
  （私の車は現在修理されています＝修理中です）
- The products are being produced.
  （製品は現在製造されています＝現在製造中です）

このセンテンスに currently（現在）を加えても意味は同じです。
- The products are currently being produced.
  （製品は現在製造されています＝現在製造中です）

19. 納期を連絡する

Dear

We have received your fax regarding shipment of the floppy disks ordered on purchase order no. 333. We have endeavoured to meet your delivery date request and detail below the earliest shipping arrangements we have been able to make.

70 cartons of black (unfortunately we only have enough black colour parts to be able to complete 70 cartons) and 30 cartons of white can be ready for shipment on the 22nd of this month. 50 cartons of blue and 20 cartons of green will be ready on the 27th with the remaining 30 cartons of black being completed on the 29th.

We would like to airfreight 70 cartons of black and 30 cartons of white on the 23rd, and airfreight 50 cartons of blue, 20 cartons of green and 30 cartons of black on the 30th.

Please confirm by return if arrangements are acceptable or if you would like to suggest other arrangements.

We are looking forward to your prompt reply on this matter.

Yours sincerely,

Words & Phrases

regarding ～　～について／shipment　出荷／endeavour　努力する／meet your delivery date request　御社の出荷日要求に応える／detail　詳細を記す／below　下に／the earliest shipping arrangement　最速の出荷の手配／arrangement　調整、手配／unfortunately　残念ながら／enough　十分な／complete　完成する／be ready for shipment　出荷の準備ができる／the remaining 30 cartons　残りの30カ

Informing a Delivery Date

注文書番号333でご注文頂いたフロッピーディスクの出荷に関するファックスを受け取りました。弊社は、御社の出荷日要求に応えるよう努力致しました。調整可能な最速の出荷日を下に記します。

黒70カートン(残念ながら黒色の部品は、70カートン製造できる分しかありません)および白30カートンは今月22日に出荷準備できます。青50カートンと緑20カートンは27日に出荷準備でき、残りの黒30カートンは29日に完成します。

弊社としては、黒70カートンと白30カートンを23日に空輸貨物出荷し、青50カートン、緑20カートン、黒30カートンを30日に空輸貨物出荷したいと思います。

この調整でご了承頂けるか、他の調整を提案されるか折り返しご連絡ください。

本件につき早急なご返答をお待ちしています。

ートン／airfreight　空輸(貨物)／confirm　確認する／by return　折り返し／acceptable　受け入れることができる／suggest　提案する／be looking forward to ～　～を楽しみにしている／prompt　迅速な

パラグラフ構成

「18. 納期交渉をする」(p. 120) への返答です。質問された事柄を以下のようにまとめて回答しています。

パラグラフ1　リクエストを受け取りました。
　　　　　　下記の要領で対応します。
パラグラフ2　製造予定について。
パラグラフ3　出荷方法について。
パラグラフ4　これで良いか折り返し確認してください。
パラグラフ5　結びのあいさつ。

パラグラフ2と3が回答となっており、パラグラフ4では確認してほしい旨を伝えています。パラグラフごとに要点をまとめることで、返答の内容を理解しやすい構成にします。

このレターの良い点は、パラグラフ1で「可能な最速の出荷日を記します」として、はじめにレター構成の整理をつけていることです。それによりパラグラフ2に製造予定、パラグラフ3に出荷方法を書くという構成が整います。

またこのレターは、以下のようにパラグラフ2と3を箇条書きにしても分かりやすいでしょう。

【例：パラグラフ2】
The followings will be ready for shipment on 22nd:
　　　70 cartons of black (unfortunately we only have enough black colour parts to be able to complete 70 cartons)
　　　30 cartons of white
The followings will be ready for shipment on 27th:
　　　50 cartons of blue

         20 cartons of green
The following will be ready for shipment on 29th:
         30 cartons of black

【例：パラグラフ3】
Therefore, we would like to airfreight:
On the 23rd―70 cartons of black and 30 cartons of white
On the 30th―50 cartons of blue, 20 cartons of green and
         30 cartons of black

Words & Phrases プラス

■ We are looking forward to your prompt reply.

　このセンテンスは「早急にご返答を頂けることを楽しみにしています」が直訳で、「早急なご返答をお待ちしています」という意味です。

　レターの最後に「お待ちしています」と書きたい場合、日本語と同じ感覚で I will wait for 〜（待っています）を使うと、英語では「返事が来なかったら怒りますよ」というニュアンスを与えてしまう場合があります。悪気がなくても印象を悪くすることがありますので wait は使わず、上記のセンテンスのような英文で「お返事頂くのを楽しみにしています」とするか、Your prompt reply would be appreciated.（早急にご返事頂けましたら幸いです）などの決まり文句を使うのが無難です。決まり文句の例は Part 4 を参照してください。

Part 2

20. 担当者交代の連絡をする

Dear

I would like to inform you that I was appointed for Oceania section last week, and I would like to take this opportunity to express my sincere gratitude for all the help and support you have shown me over the past 3 years, especially your hospitality during my business trip last year. Your assistance with arrangements was very much appreciated.

Starting from this week, Mr. Taro Motoki, who has been working in our Asia section, will be responsible for daily transactions between our companies and will be your contact for all business matters.

I would like to send my best wishes for the future and hope to see you again when opportunity permits. Please also send my best regards to Mr. Brown.

Yours sincerely,

Words & Phrases

inform　通知する／ appoint　任命する／ Oceania　オセアニア／ opportunity　機会／ express　表現する／ sincere gratitude　心からの感謝の気持ち／ over the past 3 years　過去３年以上／ especially　特に／ hospitality　親切なもてなし／ during my business trip　私の出張中／ arrangement　調整、手配／ appreciate　感謝する、評

Notification of Change of Personnel

先週オセアニアセクションへ配属となりましたことをご連絡申し上げると共に、この機会にこれまで３年以上の援助とサポート、特に昨年の出張時には厚遇して頂いたことにお礼申し上げます。いろいろとご手配、お助け頂き誠に有難うございました。

今週より、アジアセクションにおりました元木太郎が御社担当となり、すべての業務連絡窓口となります。

御社の今後のご繁栄をお祈りしますと共に、機会があればまたお目に掛かりたいと思います。ブラウンさんにもぜひよろしくお伝えください。

価する／starting from this week　今週から／be responsible for 〜　〜に責任をもつ、担当する／daily transactions　日々の業務／your contact　あなたの連絡先、窓口／when opportunity permits　機会があれば／regards　よろしくという挨拶

Part 2

パラグラフ構成

　担当者交代の連絡はこの例文の形式が基本です。他にも伝えたいことがある場合には、もう1つパラグラフを付け加えれば良いでしょう。

　担当者交代のレターでは、感謝の言葉やこれまでにあった特別な出来事などをたくさん書きたくなるかもしれませんが、業務連絡の文章として「いつから交代するのか」「新しい担当者について」の情報を明確に伝える必要があります。

```
パラグラフ1    担当者が交代します。
              これまでのお礼。
パラグラフ2    新しい担当者紹介。
              今週から担当します。
パラグラフ3    今後ともよろしくお願いします。
              ブラウンさんにもよろしくお伝えください。
```

　こうした構成ができたら、次に各パラグラフに書く詳細をメモしてみます。以下はその例です。

```
パラグラフ1に書く詳細    私はオセアニアセクションへ移ります。
                        これまで支援してくださり有難うございます。
                        出張時にもお世話になりました。
パラグラフ2に書く詳細    アジアセクション担当であった元木太郎が新担
                        当者です。
                        今週から担当します。
パラグラフ3に書く詳細    ご繁栄をお祈りします。
                        またお目にかかりたいです。
                        ブラウンさんにもよろしく。
```

Words & Phrases プラス

■ Please send my regards to Mr. Brown.

「ブラウンさんによろしくお伝えください」

regard は「好意」「よろしくという挨拶」という意味で、Please send my regards to ~ は、「~によろしく伝えてください」という決まり文句です。regards と複数形で使う場合が多いのですが、単に regards だけでなく、best regards、kind regards とすることもあります。

・My younger brother wanted me to send his regards to you.
（弟がよろしく申しておりました）
・Please give (= send) my best regards to your mother.
（お母様によろしくお伝えください）

同じ意味で、

・Please say hello to your wife.
（奥様によろしく伝えてください）

というように、決まり文句 say hello to ~ がありますが、ビジネスレターでは、send my regards to ~ を使う方が好ましいでしょう。

Part 3

パターンで覚える文章構成の仕方

1. 便利な10通りの構成パターン
2. Eメールで使える用件別の例文

Patterns

Part 3 に関する説明

本章では、

1. 便利な10通りの構成パターン
2. Eメールで使える用件別の例文

の2節により、文章の簡単な構成の仕方と、ビジネスレター・Eメールの両方で使うことのできる例文を紹介します。

1 便利な10通りの構成パターン

　ここでは、簡単な文章構成の仕方として10通りの構成パターンを取り上げ、それぞれで例文を紹介しています。ほとんどの英文ビジネスレター、特にEメールの文章は、この10通りの構成パターンのいずれかに当てはめて書き上げることができます。
　これらの構成パターンを利用すると、

1. まとまった文章構成が素早くできる
2. 早く書ける
3. 見やすい構成になる

というメリットが得られます。

 パターン１「複数の依頼事項を番号で分ける」
   例文：問合せ Inquiry
 パターン２「できるだけ箇条書き（羅列）する」
   例文：依頼 Request
 パターン３「もしそうであれば、もしそうでなければ」
   例文：依頼 Request
 パターン４「状況説明→対応した事柄の説明→依頼」
   例文：依頼 Request
 パターン５「要求し、理由を述べ、結ぶ」
   例文：催促 Demand
 パターン６「実行したことの説明→現在の状況説明」
   例文：説明 Explanation
 パターン７「要求事項を整理して並べる」
   例文：発注 Placing an Order
 パターン８「用件を加える場合に、**In addition** を用いて区別する」
   例文：発注 Placing an Order
 パターン９「問題を特定→問題の説明→質問」
   例文：指摘 Pointing Out
 パターン10「複雑なことを聞く時：質問を書く→分かりにくい部分を書く」
   例文：質問 Question

**　例文では、問合せ、依頼などのテーマを取り上げていますが、それぞれのパターンはどんなテーマにでも汎用することができます。**

　「構成パターン」欄には、何にでも応用の利く「基本構成」のパターンと「例文の構成」を示してありますので、ご参照ください。

基本構成　例文の構成

【用件】
【詳細１】
【詳細２】

Part 3

パターン1「複数の依頼事項を番号で分ける」

Dear

Thank you for the samples of hairspray HI-090, which arrived yesterday in good condition.
For our review of this product line, would you please:

1. advise the CIF price
2. forward sample and pricing of HI-095

構成パターン

【用件】	サンプル届きました
	以下のお願いがあります
【詳細1】	1. の文
【詳細2】	2. の文

1. はじめに「用件を特定」する。
  （この例では、問合わせ品目：ヘアスプレーHI-090の件）
2. Would you please: として、
3. 番号をつけて問合わせ事項を並べる。

🔧 1、2と依頼事項を番号で分けると、書き手にも受け手にも分かりやすい構成になります。

問合せ：Inquiry

ヘアスプレーHI-090のサンプルを有難うございました。昨日良い状態で到着しました。
この製品ライン（製品群）を評価するために、以下をお願いします。

1. CIF（運賃保険料込み）価格をお知らせください。
2. HI-095のサンプルと価格をお送りください。

Words & Phrases

sample　サンプル／hairspray　ヘアスプレー／arrive　到着する／in good condition　良い状態で／review　評価、見直し／product line　製品ライン、製品群／advise　通知する、連絡する／CIF price　運賃保険料込み価格（p. 83参照）／forward　送る

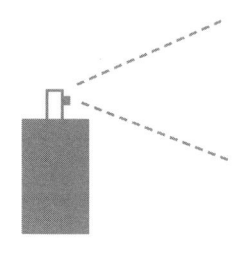

Part 3

パターン2「できるだけ箇条書き（羅列）する」

Dear

We would like the following hair-gels, from our order no. 212, to be sent to us by airfreight as soon as possible.

*HG-700　100 dozens
*HG-711　50 dozens

We look forward to receiving your confirmation of this request and advice as to the expected dispatch date. Although we agree to pay the freight, please try to get the best rate possible.

構成パターン

【用件】	下記の製品を空輸してください
【品目1】	＊の文
【品目2】	＊の文
【詳細】	確認返答必要、納期連絡必要、安価なもので

1. はじめに「用件」を述べる。
   （この例では、製品の一部空輸依頼について）
2. 品目を羅列する。（文章の中には含めずに、品目だけ並べて書く）
3. 詳細について述べる。

🛠 箇条書きにすると、だらだらと長い文章にならない構成ができます。

依頼：Request

弊社の発注番号212から、下記のヘアジェルをできるだけ早く空輸貨物で出荷してください。

*HG-700　100ダース
*HG-711　50ダース

この依頼の確認と予定発送日の通知をお願いします。空輸貨物料金はお支払いしますが、できるだけ安い料金のものを選んでください。

Words & Phrases

following　以下の／hair-gel　ヘアジェル／airfreight　空輸（貨物）／as soon as possible　できるだけ早く／dozen　ダース／look forward to ～　～を楽しみにしている／receive　受け取る／confirmation　確認／advice　通知、連絡／expected dispatch date　発送予定日／although ～　～だけれども／agree　同意する／pay　支払う／freight　輸送料／the best rate possible　可能な限り良い料金（＝できるだけ安い料金）

Part 3

パターン3 「もしそうであれば、もしそうでなければ」

Dear

<u>Can you please advise if</u> you have prepared a flyer for your new product to support the release? <u>If so,</u> please forward a draft for our reference.

Dear

Regarding your proforma invoice no. 900, <u>please confirm if</u> this consignment has already been shipped. <u>If not,</u> would it be possible to add 10 dozens of hair-gel HG-1000 to this consignment?

📎 構成パターン

- If so, (もしそうであれば) を使う場合
  - 【状況確認】　　〜かどうか教えてください
  - 【依頼：If so,】　もうしそうであれば〜してください

- If not, (もしそうでなければ) を使う場合
  - 【状況確認】　　〜かどうか教えてください
  - 【依頼：If not,】　そうでなければ〜してください

1. はじめに「〜かどうか」と聞く。
   Please advise if 〜 (= Please advise whether 〜)
   Please confirm if 〜 (= Please confirm whether 〜)
   Please inform if 〜 (= Please inform whether 〜) などを用いる。

依頼：Request

発売をサポートする新製品のチラシを準備されたかどうかお知らせ頂けますか？ もし準備されていれば、参考に下書きをお送りください。

注文請書番号900についてですが、この積送品はすでに出荷されたかどうか確認してください。もしまだであれば、ヘアジェルHG-1000を10ダースこの積送品に追加するのは可能ですか？

---

2. If so（もしそうであれば）
   If not（もしそうでなければ）を用いる。
3. 依頼する。（どうしてほしいか述べる）

✕ If so, If notのパターンで、ほとんどすべての依頼ができます。

Words & Phrases

advise 通知する、連絡する／prepare 準備する／flyer チラシ／support サポートする／release 発売／forward 送る／draft 下書き／reference 参考／regarding 〜に関して／proforma invoice 注文請書／confirm 確認する／consignment 積送品／already 既に／ship 発送する、出荷する／possible 可能な／add 追加する／dozen ダース／hair-gel ヘアジェル

Part 3

パターン4「状況説明→対応した事柄の説明→依頼」

Dear

One of our customers has asked us if we have a product for children that we could supply to replace a product they are currently sourcing from another supplier.

They have faxed us a flyer of the product, however, the condition of the text is quite poor so I have sent it to you by international courier service.

Upon receipt, please advise us of the most suitable product so we can make a recommendation to our customer.

構成パターン

【状況説明】	顧客が〜をほしがっている
【対応した事柄の説明】	商品チラシを送りました
【依頼】	着いたら〜を教えてください

1. はじめに「こういうことが起こっている」と説明する。
2. 自らが対応した事柄について説明する。
3. どうしてほしいのか依頼することを書く。

　この構成は、はじめに状況（起こっていること）を説明しないと、受け手が依頼内容を把握できないと考えられる場合に用います。「はじめに用件・結論を述べる」のが英文ビジネスレターの原則ですが、その構成をとるのが難しい場合にはこのパターンを用います。

依頼：Request

弊社の顧客の1社が、現在は他のサプライヤーから仕入れていますが、弊社がそのサプライヤーに取って代わり供給することのできる子供用の商品がないか尋ねてきています。

彼らはその商品のチラシをファックスしてくれましたが、文書の状態が悪いため御社には国際宅配便でお送りしました。

受け取られましたら、顧客に推薦できる最もふさわしい商品をお知らせください。

✂ 話が混乱しないように、要点を押さえた書き方をします。

Words & Phrases

product for children 子供用商品［製品］／supply 供給する／replace 置き換える、取って代わる／currently 現在／source 仕入れる／supplier 供給業者／fax ファックスで送る／flyer チラシ／however しかしながら／condition 状態／text 文章／quite 全く／poor 悪い、乏しい／international courier service 国際宅配便／upon receipt 受け取ったら／advise 通知する、連絡する／suitable 適切な／recommendation 推薦

パターン5「要求し、理由を述べ、結ぶ」

Dear

Please advise if a bonus package has been prepared yet for hair-gel EG-2.

These product lines are being sold as a bonus package in most stores and we believe there is a chance to grow EG-2 sales in certain areas of our country.

We look forward to your advice.

構成パターン

【要求】	この件連絡ください
【要求する理由1】	急かしている理由1
【要求する理由2】	急かしている理由2
【結ぶ】	よろしくお願いします

1. はじめに「用件」または「要求」を述べる。
   (この例では、以前から依頼している新しい製品仕様についての連絡を求めている)
2. それが必要である理由を並べる。
3. 決まり文句で結ぶ。

🛠 1. から3. の流れで、要求や依頼を上手に伝えることができます。

便利な10通りの構成パターン

催促：Demand

ヘアジェルEG-2のボーナスパッケージ（景品付きのパッケージ）は、もう用意されたかどうかご連絡ください。

この製品ライン（製品群）は、ほとんどの小売店でボーナスパックとして販売されており、私たちの国のいくつかの地域で、EG-2の販売を伸ばす機会があると考えています（信じています）。

ご連絡楽しみにしています。

Words & Phrases

advise　通知する、連絡する／prepare　準備する／yet　もう、既に、まだ／hair-gel　ヘアジェル／product lines　製品ライン、製品群／believe　信じる、考える／grow sales　販売を伸ばす／certain areas　いくつかのエリア／look forward to ～　～を楽しみにしている／advice　通知、連絡

パターン6「実行したことの説明→現在の状況説明」

Dear

I have consulted with some of our agents regarding your request to prepare a bonus package for hair-gel EG-2.

Their response was that we should not produce a bonus package because

*
*

Please let me know if you have any further questions or comments.

構成パターン

【自分が実行したことの説明】	何件かの代理店に相談してみました
【現在の状況】	こういう意見が多いです
*	*
*	*
【意見を聞く】	どう思いますか？

1. はじめに何に関する件なのかを明らかにし、自分が実行したことについて書く。
2. 現在の状況、実行したことの結果、発生した問題などを書く。
3. 受け手の意見を聞く（または自らの意見を述べる）。

🛠 パラグラフを4つにして構成を整えています。

説明：Explanation

ヘアジェル EG-2 にボーナスパッケージを用意するという御社からのリクエストについて、何件かの代理店に相談しました。

彼らの答えは、ヘアジェル EG-2 用のボーナスパッケージは生産すべきではないということでした。なぜなら

*
*

更にご質問やご意見があればお教えください。

Words & Phrases

consult　相談する／agent　代理店(p. 67参照)／regarding ～　～について／prepare　準備する／bonus package　景品付きのパッケージ／response　返答／hair-gel　ヘアジェル／understand　理解する／further　更なる、これ以上の／comment　コメント、説明、意見

パターン7「要求事項を整理して並べる」

Dear

Please may I order urgently the following items:

HG-100 　　　　200 cartons
HG-101 　　　　 50 cartons
Please Airfreight the above as soon as possible.

HG-101 　　　　100 cartons
HG-102 　　　　 20 cartons
Please send the above by International Courier Service.

HG-102 　　　　 50 cartons
Please send with Normal Shipment.

構成パターン

【用件】	下記の要領で注文します
【内容】要領指示	1つ目：空輸貨物で至急
【内容】要領指示	2つ目：国際宅配便で
【内容】要領指示	3つ目：通常の方法で

1. はじめに要求することを書く。（このレターでは注文）
2. 要求内容を何らかの基準で箇条書きにして並べる。
   （このレターでは、「発注した商品の発送方法」を基準に、3つに分けています。混乱しそうな内容ですので、受け手が間違えないように配慮しています。）

🛠 項目ごとに分けて、受け手が指示内容を間違えるのを防ぎます。

発注：Placing an Order

以下の品目を至急注文します。

HG-100　　　　200 カートン
HG-101　　　　 50 カートン
できるだけ早い空輸貨物でお願いします。

HG-101　　　　100 カートン
HG-102　　　　 20 カートン
国際宅配便でお願いします。

HG-102　　　　 50 カートン
通常の便でお願いします。

Words & Phrases

order　注文する／urgently　至急／the following items　以下の品目／carton　カートン(梱包用ダンボール箱)／airfreight　空輸(貨物)／the above　上記／as soon as possible　できるだけ早く／international courier service　国際宅配便／normal shipment　通常の出荷(便)

Part 3

パターン8「用件を加える場合に、In addition を用いて区別する」

Dear

Can I please order the following:

Order no. 00987
900 pieces Hair-gel EB-511
900 pieces Hair-gel EB-512

Price as quoted on your email to our manager on November 10. These are to be sea shipped together for delivery mid December.

<u>In addition</u>, can I please order 10 pieces of clear bag for the above hair-gel (Free of charge).

構成パターン

【用件】	以下の注文をお願いします
【詳細1】	発注内容
【詳細2】	注意事項
【加えて、別の用件】	In addition, ～

1. 最初に「以下が用件です」と書く。
   (このレターでは「以下の注文をお願いします」)
2. 用件の詳細(このレターでは注文内容)、注意事項は箇条書きする。
3. In addition を使って、他の用件(注文)を伝える。

🔧 この構成により、受け手は内容を一目で理解することができます。

発注：Placing an Order

以下の注文をお願いします。

発注番号00987
900本　ヘアジェル　EB-511
900本　ヘアジェル　EB-512

価格は11月10日付のEメールで、御社から弊社マネージャーに見積られた価格。
12月中旬の弊社向け出荷と共に船積みしてください。

加えて、上記ヘアジェル用の透明の袋（無料）を10袋発注します。

Words & Phrases

order　発注する／the following　以下／order no.　発注番号／piece　個、本／hair-gel　ヘアジェル／manager　マネージャー／sea ship　船積みで発送する／delivery　発送、出荷／mid December　12月中旬／in addition　加えて／clear bag　透明の袋／free of charge　無料

Part 3

パターン9「問題を特定→問題の説明→質問」

Dear

Can you please have a look at your proforma invoice number 301, HG-200 for our customer XYZ Inc.

These goods did not arrive on the container shipped from Los Angeles this month. I know that the order quantity was changed so this may have delayed shipment. Therefore, I have checked next month shipping list and they don't seem to be on there.

Could you please let me know when they will be shipped?

構成パターン

【問題を指摘・特定】	～の書類を見てください
【問題を説明】	このようにおかしいのです
【質問】	どうなっていますか？

1. はじめに「この件です」「この書類を見てください」と述べる。
2. 問題の中身について説明する。
3. 質問を書く。

　この構成では、「問題を指摘・特定→問題の説明→質問」の順序をとっていますが、「質問」をはじめに述べて、「質問→問題を指摘・特定→問題の説明」とするのも良い構成です。むしろその方が、「はじめに用件・結論を述べる」という英文ビジネスレターの原則に合っていますが、問題を指摘・特定してからの方が質問そのものが分かりやすい場合には、この構成をとるのも1つの方法です。

便利な10通りの構成パターン

指摘：Pointing Out

御社からの注文請書番号301、弊社顧客XYZ社向けHG-200を見てください。

これらの商品は、今月ロサンゼルスから出荷されたコンテナで到着しませんでした。発注数量が変更されたことは知っていますが、それで出荷が遅れたのかもしれません。そのため来月の出荷予定表も見ましたが、そこにも載っていないようです。

これらの商品がいつ出荷されるのか教えて頂けますか？

問題を特定することで、うまく問題点の説明ができます。

Words & Phrases

have a look = take a look　見る／proforma invoice　注文請書／goods　商品、製品／arrive　到着する／container　コンテナ／ship　発送する、出荷する／order quantity　注文数量／delay　遅れる／shipment　出荷／therefore　従って／check　チェックする／shipping list　シッピングリスト（出荷品目を記載した書類）／let me know　（私に）教えてください

Part 3

パターン10「複雑なことを聞く時：質問を書く→分かりにくい部分を書く」

Dear

We need to order some products for gift package, however, I am unsure of the product code to use.

Our stock of hair-gel gift package contains hair-gel and small hairspray. We need to reorder just the small hairspray with no box required. We need them in individual plastic bags not individually boxed.

I hope I have explained clearly what we require.

構成パターン

【質問】	～について知りたい
【分かりにくい部分の説明】	こういう点が分からないのです
【結ぶ】	お分かり頂けましたか

1. はじめに「～について知りたい」と質問する。
   （質問する目的も一緒に述べると分かりやすい）
2. 分かりにくい部分、自分自身が分からないことについて書く。
3. 心配であれば「お分かり頂けましたか」と書いておく。

　自分自身が把握しきれていない用件を整理して書くのは、大変難しいものです。その場合、まず率直に「質問＝知りたいこと」を書きます。何を聞いているのか分からない文章になるのを防ぐために、はじめに「何を聞いているのか」はっきりさせておきます。そして、その後に別のパラグラフで分かりにくい部分を説明します。

便利な10通りの構成パターン

質問：Question

ギフトパッケージ用にいくつかの商品を注文する必要があるのですが、使用する商品コードが分かりません。

弊社のヘアジェル・ギフトパッケージの在庫には、ヘアジェルと小さいヘアスプレーが含まれています。弊社は小さいヘアスプレーだけを、箱なしで再発注する必要があります。その小さいヘアスプレーは、個別の箱入りではなく、個別にビニール袋に入った仕様で必要です。

弊社が必要なものが明確に説明できていると良いのですが。

✂ まず「質問＝知りたいこと」を書くことで、質問内容が明確に伝わる文章になります。

Words & Phrases

order 注文する／gift package ギフト用パッケージ／however しかしながら／unsure 不確かな／product code 商品[製品]コード／stock 在庫／contain 含む／hair-gel ヘアジェル／hairspray ヘアスプレー／reorder 再発注する／just ～ ～だけを／require 必要とする／individual plastic bag 個別の（製品1個を包む）ビニール袋／explain 説明する／clearly 明確に

Part 3

2 Ｅメールで使える用件別の例文

　本節では、主にＥメールで使える短い例文を用件別に紹介します。私たちが通常Ｅメールに書く事柄は、本節の（1）から（8）の用件のいずれかです。書きたい用件の例文を見つけて参考にしてください。

- （1）問合せ　　　　　　　　Inquiry
- （2）依頼　　　　　　　　　Request
- （3）催促　　　　　　　　　Demand
- （4）確認　　　　　　　　　Confirmation
- （5）指摘　　　　　　　　　Pointing Out
- （6）報告　　　　　　　　　Report
- （7）キャンセル／お詫び　　Cancel / Apology
- （8）通知／案内　　　　　　Notification

(1) 問合せ Inquiry

Dear

We have received boxes containing some hair-gel last week. As we have not ordered them, could you please let me know if they have been sent for any particular purpose?

先週いくつかのヘアジェルが入った箱を受け取りました。私たちは発注していませんが、何か特別な目的のために送られたのか教えて頂けますか？

Dear

Ref: Your proforma invoice no. 765

I have had a request from XYZ Inc. to increase their order from 200 dozens to 400 dozens. Can you please let me know if this is possible?

御社注文請書番号765について

XYZ社から、注文を200ダースから400ダースに増やすよう依頼を受けました。これが可能かどうか教えて頂けますか？

Dear

Please confirm the situation regarding hairspray HS-100.

In the product catalogue we have HS-100, but I do not have any information on this product, so I am not sure if we can offer this to our customer. I have had an inquiry from XYZ Inc.

ヘアスプレーHS-100の状況についてご確認願います。

製品カタログにはHS-100が載っていますが、私は（弊社は）この製品の情報を持っていませんので、顧客に勧めて良いか分かりません。XYZ社から問合せを受けています。

Dear

I received a phone call from our sales department today as they had just received a request from a customer to advise which of your hairsprays are perfume free.

Is there any information available? How long will it take to prepare the appropriate information?

本日、弊社営業部から電話を受けました。営業部は、御社製ヘアスプレーのどれが無香料か知らせてほしいと顧客から問合せを受けたところでした。

入手可能な情報はありますか？ 適切な情報を用意するのにはどのくらいかかりますか？

Dear

Can you please confirm that the project to position the bar-code labels on the shipping cartons and inner boxes for hair-gel products is finalized?

We have just received the delivery of hair-gel HG-200 and the position of the bar-codes was not correct yet.

I look forward to your update.

ヘアジェル製品の出荷用カートン（ダンボール箱）と内箱（カートン内で小分けするための箱）上の、バーコードラベルの位置を定める企画は完結したかどうかご確認頂けますか？

丁度ヘアジェルHG-200の出荷を受け取りましたが、バーコードの位置はまだ正しくありませんでした。

最新情報をお待ちしています。

Dear

I have two questions relating to hair-gel.

Firstly, we have had a request from a customer to supply 500 dozens of HG-200. Can you please confirm the FOB price and the lead-time?

Secondly, we have a customer looking for HG-300 with transparent bottle. Can you please advise availability and the FOB price?

ヘアジェルに関して２つ質問があります。

はじめに、弊社は顧客から、HG-200を500ダース供給するよう依頼を受けています。FOB（本船渡し）価格と納期をご確認頂けますか？

次に、透明のボトルに入ったHG-300を探している顧客がいます。入手の可能性とFOB（本船渡し）価格をお知らせ頂けますか？

(2) 依頼 Request

Dear

Due to the popularity of hair-gel HG-100 and the reaction from our customers, we have been asked if extra large size and extra small size are available.

Please advise if available and cost for the same.

ヘアジェルHG-100に人気があることと、弊社顧客からの反応（要望）により、特大サイズと特小サイズが入手可能かどうか問合せを受けています。

もし入手可能であれば価格と一緒にお知らせください。

Dear

Please arrange to send us by Airmail—100 pieces of flyer to introduce hair-gel HG-100.

エアメールでの発送手配をお願いします—ヘアジェル HG-100 を紹介するチラシ 100 枚

Dear

Please arrange for the 200 dozens of medium size HG-200, from our order number 026, to be sent by airfreight soonest possible.

弊社発注番号 026 から、HG-200 の中サイズ 200 ダースをできるだけ早く空輸貨物で出荷するよう手配をお願いします。

Dear

Please accept this Email as our official request to increase the ordered quantity of hairspray from 500 dozens to 800 dozens.

この E メールを、ヘアスプレーの発注数量を 500 ダースから 800 ダースに増やすための、弊社からの正式な依頼として受けてください。

Dear

In order to repack our stocks of hair-gel HG-100 from 24 pieces per box to 12 pieces per box, we would need the following:

* 1,000 pieces inner box to suit HG-100.

Please arrange to ship with next shipment from your factory.

Kindly confirm this request.

弊社のヘアジェルHG-100の在庫を、1箱24個入りから1箱12個入りへと再梱包するために、以下を必要としています。

*HG-100に合う内箱1,000箱

御社工場からの次の出荷と一緒にお送り頂く手配をお願いします。

この依頼のご確認をお願いします。

Dear

On Monday I sent samples of hair-gel produced by a manufacturer in China, which have just been released on the Japanese market.

As a matter of priority when the samples arrive, can your research and development review the products so we have some information to share at our meeting in Tokyo next week.

月曜日に、中国のメーカーにより製造され、日本市場で最近発売されたヘアジェルのサンプルを送りました。

優先事項として、サンプルが届きましたら、来週の東京での会議で情報を共有できるように、御社の研究開発部で製品の評価を行って頂きたいのですが。

Dear

We have a special request for hair-gel HG-200. One of our customers is looking at either 10,000 or 20,000 pieces. Will the FOB price be the same as usual?

Part 3

We look forward to your positive response.

ヘアジェル HG-200 について特別なお願いがあります。顧客の1社が1万個か2万個の発注を見込んでいます。FOB（本船渡し）価格は通常と同じになりますか？

良いご返答をお待ちしています。

(3) 催促 Demand

Dear

Can I please just check that you received my fax regarding the packages?

Please could you let me know if it is possible to manufacture the packages as per the picture.

Thank you for your help.

パッケージに関する私のファックスを受け取られたか確認させて頂けますか？

絵の通りパッケージを製造することは可能かどうかお教えください。

（あなたの）支援に感謝します。

Dear

Do you have a response yet? We need to respond to our customer today if we are to have a chance to win this business.

まだ返答はありませんか？ この取引を勝ち取るためには、顧客に今日返答する必要があります。

Dear

Could you possibly give me an update as to when this order is likely to be shipped? I have just had a request from XYZ Inc. for this information.

この注文がいつ頃出荷されるか最新情報を頂くことは可能ですか？　XYZ社から、今この情報に関して問合せを受けたところです。

Dear

Are the bar-code numbers for your new product available yet? Can you also confirm that the model number will be HG-300?

御社新製品のバーコード番号はまだありませんか？　製品番号がHG-300になるかどうかについてもご確認ください。

Dear

I have not heard from you for a while and wondered if you received all of my email messages over the past few days?

しばらくご連絡を頂いていませんが、ここ2、3日私からのEメールをすべて受け取っていらっしゃいますか？

Part 3

Dear

Sorry to chase you, do you have any information yet on the price and availability on the new product HG-400?

催促してすみませんが、まだ新製品HG-400の価格と入手可能時期に関する情報はありませんか？

Dear

Can you please track the samples sent from your office last Friday, as we still have not received them, and our customers are desperate for the goods.

先週の金曜日に御社オフィスから送られたサンプルの追跡調査をお願いします。弊社はまだ受け取っておらず、弊社の顧客が本当に必要としていますので。

Dear

This request is very urgent. We have still not received the samples for our customer. Can you please forward a tracking number as soon as possible.

この依頼は非常に緊急のものです。弊社はまだ顧客向けのサンプルを受け取っていません。できるだけ早く追跡番号（送付状の番号）をお送りください。

Dear

With regard to the new style hairspray, can you please send images as soon as possible, so that we can get images updated in our customer's catalog.

新スタイルのヘアスプレーについてですが、顧客のカタログ上の画像をアップデートするために、画像をできるだけ早くお送りください。

(4) 確認 Confirmation

Dear

Can you please check an order dating back to December.

Please check if we placed an order number 432. It was for the following items:

Hair-gel HG-100　300 dozens
Hairspray HS-100　400 dozens

I don't think we placed the order with you. If you could please double-check as I cannot check with Yoko as she is on holiday.

12月の日付に戻って注文を確認して頂けますか。

弊社が注文番号432を発注したかどうか確認してください。下記の品目の注文です。

ヘアジェル HG-100　300ダース
ヘアスプレー HS-100　400ダース

私は、弊社から御社へ注文していないと思うのですが。洋子が休暇で確認

Part 3

できないので再確認をお願いできないでしょうか。

Dear

My manager has asked me to confirm the following point with you regarding the direct to XYZ Inc. consignments.

Please would you ensure that the Bill of Lading to XYZ Inc. is marked
'NIPPON LOGISTICS'   'NOTIFY PARTY'.

This will ensure that the shipment will be handled and processed correctly when it reached our country.

私のマネージャーから、XYZ社へ直接出荷される積送品について、御社に下記の点を確認するよう依頼されました。

XYZ社への船荷証券に「日本ロジスティックス（という輸送会社名）」「着荷通知先」が記されていることをご確認ください。

これにより、積荷は私たちの国に到着した際、正しく扱われ手続きされます。

Dear

As a confirmation of our phone discussion, following is a list of proposed discussion topics for our meeting in next week.

* Sales update
* New products
* Quality of hairspray

As discussed, can you please forward full product details on the new hair-gel and hairspray so we can be fully prepared to discuss these items.

Eメールで使える用件別の例文

電話でのお話しの確認として、以下は来週の我々のミーティングの論題提案です。

＊販売最新情報
＊新製品
＊ヘアスプレーの品質

お話ししました通り、十分な話し合いの準備をするために、新しいヘアジェルとヘアスプレーに関するすべての製品情報詳細をお送りください。

(5) 指摘 Pointing Out

Dear

I was just checking Proforma Invoice number 255 and I have noticed that HG-100 has not been confirmed on the Proforma.

We have ordered 500 dozens of HG-100. Please check the last page of our order form.

Will it be possible at this stage to add the goods into May production with the rest of the order?

Please confirm.

今注文請書番号255を確認していたのですが、HG-100がこの請書上で確認されていません。

弊社はHG-100を500ダース発注しています。弊社注文書の最後のページをご確認ください。

この段階で、この製品を他の発注品と一緒に5月の生産に追加するのは可能ですか？

確認をお願いします。

167

Part 3

Dear

Today I received your CD that contains new artwork for bottle of the hair-gel. I need to make a small text adjustment. At the moment our designer is copying the CD so that I can send you a copy.

This change will have to be made for the order I have just placed. The artwork will be sent tomorrow. Please advise if this creates any problems.

本日、ヘアジェルのボトルの新しいアートワークが入った御社のCDを受け取りました。私が(弊社で)少し文章を調整する必要があります。現在、(弊社から)御社へコピーを送れるように、デザイナーがCDをコピーしています。

この変更は、私が先程発注した注文にも行って頂かないといけません。アートワークは明日発送されます。もしこれで問題が発生するようでしたらお知らせください。

Dear

Thank you for the proforma invoice no. 112 covering our order no. 205.

Please check and amend the following:
*HG-200 should be 200 dozens instead of 20 dozens.
*HG-300 should be in bulk instead of dozen packages.

弊社注文番号205への注文請書番号112を有難うございました。

以下を確認して訂正してくださるようお願いします。
* HG-200 は、20ダースでなく200ダースであるべき
* HG-300 は、ダースパッケージではなく、ばら荷であるべき

Dear

The samples arrived yesterday and my manager and I have had the opportunity to review them. Our comments are as follows:

* Will the final product come with a plastic cover? All other new hair-gel products in the market have this protective plastic cover to ensure they don't dry out prior to being sold to the consumer and your product should also include this protective feature.

* It is difficult to distinguish between the medium size and large size, as the graphics are identical. We would like to alter the color of the print on the large size to a silver color so the two models are easier to identify.

Could you please send us the specifications for these products when they are available.

昨日サンプルが到着し、マネージャーと私で評価を行う機会がありました。私たちのコメントは以下の通りです。

＊最終製品にはビニールカバーが付いてきますか？ 市場にある他のすべての新しいヘアジェル製品は、消費者に販売される前に乾かないように、保護するためのビニールカバーが付いていますので、御社製品も同様の保護する特長を採り入れるべきです。

＊グラフィックデザインが同じであるため、中サイズと大サイズの区別が困難です。2つのモデルを見分けやすくするために、大サイズの印刷色を銀色に変えたいと思います。

これらの製品規格仕様書ができましたらお送りください。

Part 3

Dear

Re: Hair-gel HG-200 Proforma Invoice Number 234

The above proforma invoice has a note on it to say that delivery date is not confirmed yet.

I have checked the list of goods, which were shipped at the end of January, and these goods do not appear on the list.

Could you please let me know when these goods are likely to be shipped?

ヘアジェル HG-200　注文請書番号 234

上記の注文請書には注意書きがあり、発送日がまだ確認されていないとされています。

1月末に出荷された製品のリストを確認しましたが、これらの製品は、そのリストに載っていません。

これらの製品がいつ頃出荷されるかお教え頂けますか？

(6) 報告 Report

Dear

Please find the accompanying production report.

It shows the lower numbers for the current quiet period.

添付の生産報告書をご覧ください。

現在の静かな時期（忙しくない時期）の低い数字を示しています。

Dear

Please find the attached files with the June sales achievement details.

June was better than May in terms of the number of orders for new products. It was also better in terms of the total number of hairspray orders received, even though the ordered quantity of hairspray per customer was lower than in May.

If you have any comments, please feel free to contact me.

添付の6月販売実績詳細ファイルをご覧ください。

6月は、5月よりも新製品の受注数で勝っていました。一顧客ごとのヘアスプレー受注数は5月よりも低かったのですが、ヘアスプレーの合計受注数量においても5月より優れていました。

コメント等があれば、どうぞご連絡ください。

Dear

We have had a customer complaint on the quality of the hair-gel HG-300. We received samples from our customer and they are being sent to you today.

The hair-gel is very important to our business and we can not afford to have any quality problems. Upon receipt of the samples, please have your research and development to investigate the problem so that we will be able to respond to our customer as soon as possible.

ヘアジェルHG-300の品質について顧客から苦情を受けました。弊社は顧客からサンプルを受け取り、そのサンプルは本日御社へ送付されています。

ヘアジェルは弊社の事業にとって大変重要であり、品質問題に耐えること

はできません。サンプルを受け取られましたら、弊社から顧客へできるだけ早く返答できるように、御社の研究開発部で問題を調査して頂くようお願いします。

(7) キャンセル／お詫び　Cancel / Apology

Dear

We have just received advice from Mr. Brown, ABC Inc. that he has had to cancel the meeting scheduled at your office next week due to his personal reason. Mr. Brown apologized for any inconvenience that this may cause.

たった今ABC社のブラウン氏より、来週御社で予定されているミーティングを個人的な理由によりキャンセルしなくてはならないと連絡を受けました。ブラウン氏は、これにより不便をお掛けすることをお詫びしています。

Dear

Please can I cancel our purchase order number 765 for our customer CDE Inc. This is for hair-gel HG-200 and HG-300. They do not want to wait 2 months for these goods.

弊社顧客CDE社向け弊社注文書番号765をキャンセルさせて頂きます。これはヘアジェルHG-200とHG-300の注文です。彼らは、これらの製品（の入荷）を2ヶ月も待ちたくないとのことです。

Dear

Regarding the hair-gel HG-300, please be informed the following.

Unfortunately our warehouse made a mistake when they have placed an order. Is it possible at this stage to pack both medium size and large size in each carton box?

We have also ordered 200 dozens of each size. Is it possible to increase this amount to 280 dozens?

We are really sorry to change all this at this late stage.

ヘアジェルHG-300について、以下をお伝えします。

残念なことに弊社の倉庫は発注時にミスをしています。この段階で、それぞれのカートン箱に中サイズと大サイズの両方を梱包して頂くのは可能でしょうか？

また、弊社はそれぞれのサイズを200ダースずつ発注しました。この数量を280ダースに増やすことは可能でしょうか？

この遅い段階で、これらすべてを変更して本当に申し訳ありません。

(8) 通知／案内　Notification

Dear

Please be informed that I have sent a copy of the newly released 2006 product catalog of our competitor for your reference.

ご参考までに、新しく発行された競合他社の2006年度製品カタログを1冊

お送りしましたことをお伝えします。

Dear

I am now back in the office following my leave after the fair. Over the next few days I will be reviewing the information obtained during the fair, particularly in relation to the new product lines.

In addition, please find attached the sales achievement figure for last month.

見本市の後の休暇からオフィスに戻りました。次の数日間、見本市で得た情報、特に新製品群について検討します。

付け加えて、先月の販売実績数値を添付します。

Dear

The Air waybill shown below is the reference for the gifts that are being sent to your company president Mr. Richards from Mr. Kato.

The service is door to door from our Yokohama branch to Los Angeles and we trust the gifts will arrive safely and undamaged. The gifts are labeled clearly for the intended receivers for easy distribution.

下の航空運送状は、加藤氏より御社社長のリチャーズ氏へ送られているギフトの参照用です。

弊社横浜支店からロサンゼルスまでの宅配便サービスで、安全に損傷もなく到着すると思います。ギフトには手際よい配送のために受取人名がはっきりと記されています（ラベルで貼られています）。

Dear

Please find the details of Mr. Smith and Mr. Howard's stay in Tokyo:

Accommodation:
Tokyo International Hotel
Address: xxxxxxxxxxxxxxxxx
xxxxxxxxxxxxxxxxxxxxxxx
Phone: xxxxxxxxxxxxxxx Fax: xxxxxxxxxxxxxxxx
Check in: 21 May 2006   Check out: 28 May 2006

スミス氏とハワード氏の東京滞在の詳細をご覧ください。

宿泊施設：
東京インターナショナルホテル
住所：xxxxxxxxxxxxxxxxx
xxxxxxxxxxxxxxxxxxxxxxx
電話：xxxxxxxxxxxxxxx ファックス：xxxxxxxxxxxxxxxx
チェックイン：2006年5月21日　チェックアウト：2006年5月28日

Part 4

使いやすいセンテンスと事例集

1. 「書き出し」で使えるセンテンス
2. 「文中」で使えるセンテンス
3. 「結び」で使えるセンテンス

Sentences

Part 4に関する説明

　本章では、ビジネスレターとEメールで使えるセンテンスとタームをまとめました。これらのセンテンスとタームを使うことで、文章作成は一層容易になります。

1. 「書き出し」で使えるセンテンス
2. 「文中」で使えるセンテンス
3. 「結び」で使えるセンテンス

に分けてご紹介します。

1 「書き出し」で使えるセンテンス

　英文ビジネスレターと英文Eメールは、どのように書き始めれば良いのでしょうか。書きたい内容がはっきりしていても、書き出しのセンテンスは意外に難しいかもしれません。

　いきなり用件から書き始めても良いのですが、本節のセンテンス例を利用すると、スムーズな文章の書き出しができます。ここでは、センテンスを以下の（1）～（7）のパターンに分けてご紹介します。

（1）決まったタームを使って書き出す場合
（2）はじめに感謝しながら書き出す場合
（3）はじめに謝りながら書き出す場合
（4）I have を使って書き出す場合
（5）Can I please ～? Can you please ～? を使ってはじめに質問する場合
（6）添付ファイル（書類）がある場合
（7）はじめに挨拶を入れる場合

Part 4

(1) 決まったタームを使って書き出す場合

■ With regard to ～　～についてですが

- **With regard to** the assembly machine, we are proposing to test a new machine which can be quickly adjusted to accept different thicknesses of metal plate.

  組立て機械についてですが、我々は、鋼板の厚みの違いを受け入れる調整がすぐにできる新しい機械をテストする提案をします。

- **With regard to** the samples we were inquiring about, we were trying to have trial products for model FT-230.

  お伺いしていたサンプルについてですが、弊社はFT-230モデルの試作品を入手しようとしていました。

■ Concerning ～　～についてですが

- **Concerning** our order for 700 pieces of hair-gel HG-100 from our order number 212, I am afraid to inform you that we must cancel this part of the order as the quantity is too great for us to take.

  弊社注文番号212のヘアジェルHG-100 700個の注文についてですが、申し訳ありませんが数量が多すぎるために、注文のこの部分をキャンセルしなくてはならないことをお伝えします。

- **Concerning** the ease with it is possible for the hair-gel cap on hair-gel HG-200 to come off, I have received a complaint from ABC Company.

  ヘアジェルHG-200のキャップが外れやすいことについて、ABC社から苦情を受けました。

■Regarding ～　～についてですが

- **Regarding** the carton of new products, I will speak to Masaki at our warehouse and ask him to organize sending the goods back to your factory in Hong Kong direct from Yokohama.

  新商品のカートンについてですが、弊社倉庫の正樹に話して、横浜から直接香港の御社倉庫へ送り返すよう調整を依頼します。

- **Regarding** your request for a discount for our new product, I am pleased to inform that we will grant a discount of 10% for next 6 months.

  弊社新製品の値引きに関する御社の依頼についてですが、次の６ヶ月間10％の値引きを承諾することをお伝えでき嬉しく思います。

■Further to ～　～に付け加えてですが

- **Further to** our telephone conversation, I confirm my request for an indication of prices for your new product.

  電話でお話ししたことに加えて、御社新製品の価格を提示して頂くことを（提示して頂くという私のお願いを）確認します。

- **Further to** my last message on this subject, I have had a few additional thoughts that may be of interest. They are…

  この件に関する私の前回のメッセージに加えて、興味を引くかもしれないいくつかの追加の考えがあります。それらは…

■As per ～　～の通り

- **As per** the email below from our customer, would it be possible to get some samples of hair-gel for evaluation?

  弊社顧客からの以下のＥメールの通り、評価を行うためのヘアジェルのサンプルを入手することは可能でしょうか？

- **As per** previous advice, we have received some samples of faulty hair-gel HG-100.

  前もってお伝えした通り、我々はヘアジェルHG-100の不良品サンプルを受け取りました。

■ This is to inform you ～　これはあなたに～をお伝えするものです

- **This is to inform you** that your order #112 will be ready for shipment at the end of January.

  これは御社発注番号112が、1月末に出荷準備できることをお伝えするものです。

■ This letter is to inform you ～
　この手紙はあなたに～をお伝えするものです

- **This letter is to inform you** that our sales manager, Makoto Kato was appointed as the managing director last week.

  この手紙は、弊社セールスマネージャーの加藤誠が、先週社長（または専務取締役）に任命されたことをお伝えするものです。

■ This is just to let you know ～
　これはあなたに～をお伝えするものです（簡単な用件を伝えるのに用いる）

- **This is just to let you know** that I will not be in the office next week, Monday 10th to Friday 14th September, as I am on holiday.

  これは来週9月10日月曜日から14日金曜日まで、私が休暇のためオフィスにいないことをお伝えするものです。

- **Just to let you know** our factory managed to produce the hair-gel for your important customer, ABC Inc. today.

  本日、弊社の工場が、御社の大事な顧客であるABC社向けのヘアジェルを生産できたことをお伝えします。

「書き出し」で使えるセンテンス

■ In response to 〜　〜への返答ですが

・**In response to** your invitation for candidate product names, I offer the following suggestions:

商品名候補の案内への返答ですが、私は以下の提案を致します。

■ I hope 〜　〜であると良いのですが

・**I hope** the following comments are useful in answering your questions.

以下のコメントが、あなたの質問への回答として役立つと良いのですが。

■ As discussed　話し合いましたように

・**As discussed** on Monday, I write to confirm the following points:

月曜日にお話ししましたように、下記の要点を確認するために書きます（書いてお送りします）。

■ We received 〜　〜を受け取りました

・**We received** the delivery of hair-gel HG-100 today.

本日ヘアジェル HG-100 の配送を受け取りました。

---

(2) はじめに感謝しながら書き出す場合

■ Many thanks for 〜　〜をどうも有難うございました

・**Many thanks for** your reply.

ご返答をどうも有難うございました。

・ **Many thanks for** the information.
情報をどうも有難うございました。

・ **Many thanks for** your information regarding your new product.
御社の新製品に関する情報をどうも有難うございました。

・ **Many thanks for** the information on weights, measurements, etc. for new product.
新製品の重量寸法などの情報をどうも有難うございました。

・ **Many thanks for** your message and the detail it contained.
メッセージと詳細をどうも有難うございました。

■ Thank you for ～　～を有難うございました

・ **Thank you for** your email.
Eメールを有難うございました。

・ **Thank you for** the prompt reply [response].
早急なお返事を有難うございました。

・ **Thank you for** your prompt response with regard to hair-gel HG-100.
ヘアジェルHG-100について早急なお返事を有難うございました。

・ **Thank you for** organizing this shipment to company B.
このB社への出荷を調整して頂き有難うございました。

・ **Thank you for** all the information which you sent to me regarding hair-gel HG-100.

「書き出し」で使えるセンテンス

ヘアジェル HG-100 に関してお送りくださったすべての情報を有難うございました。

- **Thank you for** the information, and confirmation of the situation.
情報と状況の確認を有難うございました。

- **Thank you very much for** arranging the new product materials shipment.
新製品材料の出荷を手配して頂き、どうも有難うございました。

(3) はじめに謝りながら書き出す場合

■ Apologies for～　申し訳ありません

- **Apologies for** delay in replying.
返答が遅れ申し訳ありません。

- **Apologies for** any delayed responses today as I have been out of the office up until now.
今まで外出していましたので、本日返答が遅れたことをお詫びします。

■ sorry to [for] ～　すみません

- I am **sorry to** trouble you, but have you any news on my inquiry for hair-gel HG-100?
ご迷惑をかけてすみませんが、ヘアジェル HG-100 に関する私の問合せについて何か情報はありませんか？

- **Sorry to** bother you so soon again. Is airport of destination going to be Heathrow or Gatwick?

185

Part 4

またすぐに迷惑をかけてすみません。到着地の空港はヒースロー（空港）になりますか、それともガトウィック（空港）ですか？

- **Sorry to** chase you, do you have any information yet on the price and availability on hair-gel HG-100 ?

  （Eメールで）催促してすみません。ヘアジェルHG-100の価格と入手可能時期に関する情報はまだありませんか？

- I was in Yokohama yesterday with your manager, Mr. Smith, so I have just seen your e-mail regarding shipment, **sorry for** not getting back to you sooner. I will confirm everything to you shortly.

  昨日あなたのマネージャーのスミスさんと横浜にいましたので、出荷に関するあなたからのEメールをちょうど今見たところです。もっと早く返答できなくてすみません。すべてすぐに確認して連絡します。

(4) I have を使って書き出す場合

■ I have ～（さまざまな意味を表す）

- **I have** an inquiry for some hairsprays.

  いくつかのヘアスプレーについて質問があります。

- **I have** a special request for the hair-gel HG-100 with green bottle.

  緑色ボトルのヘアジェルHG-100について、特別なお願いがあります。

- **I have** just received a phone call from a customer regarding the quality of the hair-gel HG-100. Details are as follows:

  ヘアジェルHG-100の品質について、今顧客から電話を受けました。詳

細は以下の通りです。

- **I have** just spoken to Mr. Smith and he is prepared to accept the standard product display as featured on page 95 of the brochure.

  今スミスさんとお話ししたのですが、彼は冊子の95頁に記載されている標準型製品陳列台を受け入れる準備があるそうです。

- **I have** had a response from our customer. Can I please order some gift packages as follows:

  顧客から返答を得ました。下記の通りいくつかのギフト用パッケージを注文したいのですが。

- **I have** had a reply from CDE Inc. concerning their order for 30 dozens of hair-gel HG-100.

  CDE社から、ヘアジェルHG-100の30ダースの注文について返答を受けました。

(5) Can I please ～ ? Can you please ～ ? を使ってはじめに質問する場合

■ **Can I please ～ ?** ～しても良いですか？＝したいのですが

- **Can I please** ask you the weights and measurements for the above parts?

  上記部品の重量と寸法をお伺いできますか？

- **Can I please** just check that you received my fax regarding our advertisement?

  弊社の広告に関する私のファックスを受け取られたかどうか確認させて

頂けますか？

・**Can I please** order a tool for our factory?
弊社工場用に工具を1つオーダーできますか？

・**Can I please** ask a favor, can you please email me your sales data from last month?
お願いがあるのですが、先月のあなたの販売データをEメールで送って頂けませんか？

> 注1：Can I ～ please?／Can you please ～? よりも、
> 　　　May I please ～ ?／Could you please ～? とする方が丁寧なお願いの仕方です。
> 注2：こうした疑問文でも、疑問符（?）は用いないことがあります。

■ **Can you please [possibly] ～?　～してくださいますか？**

・**Can you please** check a shipping advice from January again?
1月分の船積案内をもう一度確認してくださいますか？

・**Can you please** confirm if you received my purchase order today?
今日私の注文書を受け取られたかどうか確認してくださいますか？

・**Can you please** take a note of the request below for displays for March production?
3月生産分の陳列台に関する以下のリクエストを書き留めて頂けますか？

・**Could you possibly** send me the following items today?
今日以下のアイテムをお送り頂くことはできますか？

（6）添付ファイル（書類）がある場合

■ Please find 〜　〜をご覧ください

・**Please find** attached April sales analysis.
　添付の4月の販売分析をご覧ください。

・**Please find** the accompanying files with the June production details.
　6月生産詳細の添付ファイルをご覧ください。

・**Please find** below the orders from ABC, Inc.
　ABC社からの下の注文をご覧ください。

・**Please find** attached illustrations with changes as requested.
　リクエストされたように変更した添付のイラストをご覧ください。

・**Please find** the accompanying update on matters discussed with our customer yesterday.
　昨日顧客と協議した事柄の最新情報を添付しますのでご覧ください。

(7) はじめに挨拶を入れる場合

・I hope you are well.
　お元気ですか。

・Hope you are well?
　お元気ですか？

・Good morning, I hope the day finds you well.
　おはようございます。今日は良い日だと良いのですが。

・I hope you had a lovely holiday.
　良い休暇を取られたことと思います。

2 「文中」で使えるセンテンス

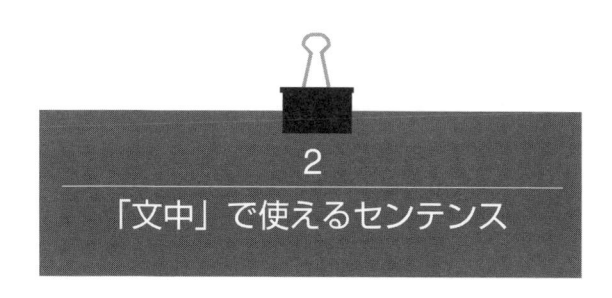

　Part 1〜Part 3の例文でさまざまなタームを紹介していますが、本節のタームも、ビジネスレターとEメールの要所で使用すると便利なものばかりです。

　　(1) 構成をラクにするターム
　　(2) 上手なセンテンスが作れるターム

に分けてご紹介します。

(1) 構成をラクにするターム

- **As advised** in our email of January 15, we originally indicated out gross purchase of this month would be US＄250, 000.

　1月15日のEメールでお知らせしたように、弊社は、もともと今月の総購入金額は250,000 USドルになると示していました。

> 「〜でお知らせしましたように」という意味を表し、事前に何かを通知していることを書きたい場合に使います。

- **As** ABC Inc. has requested shipments via their forwarding agent, **please advise** information **regarding** weight and dimension of cartons.

　ABC社が、彼らの運送業者による発送をリクエストしていますので、カートンの重量と寸法に関する情報をお知らせください。

Part 4

> 「as ～ですので」「Please advise お知らせください」
> 「regarding ～について」

- **I have been asked** by our Osaka office to forward details of your freight forwarders who are dealing with the cargo.

  弊社大阪事務所から、その船荷を扱っている御社の貨物輸送業者の詳細を送るように依頼されました。

  > 「～から頼まれた」という場合に使うセンテンスです。ここでは、自社の大阪事務所から頼まれて依頼しています。

- I have not received any information on this order numbered 234 and have **so far** not received any proforma invoices.

  この234番の注文について何の情報も受け取っていませんし、現在のところ注文請書も受け取っていません。

  > 「現在のところ、今のところ、これまでは」という意味です。

- I received a phone call from our customer in Hong Kong **advising us that** a parcel was being held for them at customs clearance in Hong Kong.

  香港の顧客から、小包が香港の税関で止められていると電話を受けました。

  > 「that以下を通知する」という意味で、このセンテンスは「that以下を通知するという電話を受けた」という意味になります。

・ My customer is looking for a total of 10,000 pieces but would like 5 different colors. They have not specified the colors but I think it will be usual Black, Blue, Red, etc. **Kenji has suggested** the product model 200 as the easiest option.

私の顧客は合計で10,000個を探していますが、5種類の違う色でほしいとのことです。彼らは色を特定していませんが、通常の黒、青、赤などになると思います。健司は製品モデル200が最も簡単な選択だと提案しています。

> この例では、自分の意見の後に他の人の意見を述べる時に、「健司はこう提案している」と整理するために、「**suggest　提案する**」を用いています。

・ Can you please **confirm the situation** regarding your new product as soon as possible?

御社新製品に関する状況を極力早くご確認頂けますでしょうか？

> 「状況を確認して知らせてほしい」という場合に使います。

・ Mr. Uno is aware that displays of the above product are available from next month, **but** he is inquiring about flyers of the product, **so** please let me know when they become available.

宇野さんは、上記製品の陳列台が来月から入手可能なのは知っていますが、彼は製品のチラシについて聞いていますので、（チラシが）入手可能になったらお知らせください。

> 「**but　しかし**」「**so　ですから**」を用いて文章を組み立てます。

・ **In answer to your questions**, ABC Inc. and CDE Inc. have ordered a very large quantity of hair-gel and hairspray.

あなたの質問への答えですが、ABC社とCDE社は、大量のヘアジェル

Part 4

とヘアスプレーを注文しました。

「質問に答えますと」という表現に用います。

- **There was a mistake with one of** the cartons, which has just arrived on the shipment from Singapore.

  シンガポールからの出荷で、今到着したカートンの1つに間違いがありました。

「何かの1つに間違いがあった」場合に用います。

- Regarding the new product HG-300, **can you please advise if** the weights, measurements, etc. are the same as the HG-200. **If they are different**, can you please advise me the new information.

  新製品のHG-300についてですが、重量や寸法などがHG-200と同じかどうかお知らせください。もし違っていれば、新しい情報をお知らせください。

「**Can you please advise if**〜 〜かどうかお知らせください」と「**If they are different** もし違っていれば」を組み合わせています。「同じであれば」と書きたい時には、「**If they are the same**」を用いることができます。

(2) 上手なセンテンスが作れるターム

・Please advise **how quickly** you can dispatch.
どのくらい早く発送できるかお知らせください。

・Please advise **when** you can dispatch.
いつ発送できるかお知らせください。

> 「**how quickly** どのくらい早く」と「**when** いつ」は、少し意味合いが異なります。

・**Please be kind enough to** pass on my thanks to your assistant who kindly regards our proposals so seriously.
我々の提案をとても真剣に受けとめてくださっているあなたのアシスタントへ、お礼をお伝えください。

> 直訳では「**Please be kind enough to** ～　～するのに十分やさしくなってください」という意味で、「どうかお願いします」という丁寧な表現です。

・**As per** the photo, some products were damaged when they were delivered.
写真のように、いくつかの製品は配達された時に損傷を受けていました。

> **as per** は、[1.「書き出し」で使えるセンテンス] でも紹介しましたが、「～の通り」という意味で用います。

- **Please arrange to** send 2,000 pieces of flyers.

    2000枚のチラシを送る手配をしてください（2000枚のチラシを送ってください）。

    > このセンテンスは、**Please send 2,000 pieces of** ～としても同じ意味ですが、ストレートに頼みにくい場合や、依頼する事柄に何らかの準備か調整が必要な場合には **arrange to** を用います。

- Please arrange for the samples **to be sent to** our customer.

    弊社顧客へ送るサンプルを手配してください。

- Please arrange for extra samples **to be shipped from** your warehouse.

    御社倉庫から出荷する追加のサンプルを手配してください。

    > 「**samples to be sent to** ～　～へ送るサンプル」「**samples to be shipped from** ～　～から出荷するサンプル」という表現をします。

- **If you could also please** arrange for some extra empty cartons to be sent to us as we maybe able to pack our old stocks into the cartons to sell them.

    弊社に余分に空のカートンをお送り頂く手配もお願いできませんでしょうか。古い在庫をそのカートンに詰めて売ることができるかもしれませんので。

    > 「～もお願いします」という場合に **also** を用いるセンテンスです。「**If you could also please** ～」で、「～もしてください」という意味になります。

・Do you have 100 of these brochures **available**?

これらの小冊子を100冊（頂けるものを）お持ちですか？

・I am wondering if Mr. Harris is **available**.

ハリスさんがいらっしゃる（今話ができる）かと思っているのですが。

・Please send us samples in the **available** colors.

現在ある色の（現在入手可能な色のもので良いので）サンプルをお送りください。

> **available**は「入手可能、使用可能、～できる」という意味で、さまざまな場面に使います。

・I will fax copies to you. **It may be easier** to follows.

写しをファックスします。その方がフォローしやすい（理解しやすい）かもしれません。

> 「～しやすいかもしれない」という意味です。**It might be easier**～ でも同じ意味です。

・Please arrange to send the following products to our warehouse and use this message **as our official** order sheet.

下記の製品を弊社倉庫に発送する手配をお願いします。そしてこのメッセージを弊社の正式な注文書としてください。

> 「**as our official**～　私たちの正式な～として」という意味です。

・**Do you think they possibly** purchase more of our new product next month?

Part 4

あなたは彼らが来月弊社新商品をもっと購入すると思いますか（購入する可能性があると思いますか）？

「**possibly～**」で「～は可能か、～の可能性はありますか」という意味になります。

・Please send us samples of display stand that are **suitable for** the new product.
新商品に合う陳列台のサンプルをお送りください。

「～に合う」という意味で「**suitable for～**」を用いています。

・Is it possible **at this stage** to increase the order quantity?
この段階で注文数量を増やすのは可能でしょうか？

・It is not possible to cancel the order **at this late stage**.
この遅い段階で注文をキャンセルすることはできません。

「この段階で」「この遅い段階で」という意味を表します。

・Can I please just check that you have received my order no. 150. **It's just that** the fax machine did not seem to give me a transmission report...
私の注文番号150を受け取られたか確認させてください。ただファックスから通信レポートが出なかっただけなのですが。

「**It's just that (It is just that, It was just that)**」は、「ただ～だけなのですが」という意味で、「大したことではありませんが」と言いたい場合に使います。

・Our warehouse is requesting technical **information such as** weight, measurements, etc.

我々の倉庫が、重量や寸法などの専門的な情報をリクエストしています。

> 「**information such as**〜　〜のような情報」として、**as** 以下に詳細を記します。

・Please see our purchase order No. 222 **for reference**.

参考に弊社注文書番号 222 を見てください。

> 「**for reference**　参考に」または「**for your reference**　あなたの参考に」を決まり文句として使います。

・My apologies for confusion, **I should have** request**ed** new leaflet instead of the product specification chart.

混乱させて申し訳ありません。製品規格仕様書ではなく、新しいチラシをリクエストするべきでした。

> 「〜するべきでした」として誤りを訂正する場合に用います。

・Please airfreight **the above** as soon as possible.

上記をできるだけ早く空輸してください。

・Do you have any prices yet for my earlier inquiry regarding **the above** product?

上記の製品に関して以前伺った価格はまだありませんか？

・Please refer to the comments detailed **below** regarding the new product.

Part 4

新製品に関して、下記の詳細を記したコメントをご参照ください。

- The number shown **below** is the reference for your hotel reservation in Tokyo.

  下記に示した番号は、東京でのあなたのホテル予約用です。

  「**above** 上記の〜」「**below** 下記の〜」を用いる場合の例です。

- This product range is contributing **approximately** 50,000 dollars in sales for our company.

  この製品レンジは、当社の販売におおよそ5万ドルの貢献をしている。

- Please send **approx**. 300 leaflets on the new product.

  新製品のチラシを約300枚送ってください。

  数量などを「おおよそ〜くらい」と表す場合に用います。
  レターでもEメールでも、**approx.** と略して書く場合が多くあります。

- With regard to the new products, what is the cost price for these? **Can we assume** you will supply them from next month?

  新製品についてですが、これらの原価はいくらですか？ 御社は来月から供給すると考えてよろしいですか？

  「〜と想定しても良いですか」と聞きたい時に、「**Can we [I] assume** 〜」を用います。

- A few months back I asked for a sample of the Hair-gel HG-300, could you please let me know whether it was **ever** sent?

  2、3ヶ月前にヘアジェルHG-300のサンプルをお願いしました。お送り頂けたかどうかお伝え頂けますか？

「文中」で使えるセンテンス

> **ever** をセンテンスに加えることで、「一体どうなっていますか？」というニュアンスを加えることができます。以前お願いしたにもかかわらず、忘れられているような場合に用います。

- Please send 100 empty hair-gel displays urgently **to replace** those damaged in last shipment.

  前回の出荷で破損していたものと取り替えるために、至急ヘアジェルの空陳列台100個をお送りください。

- I transmit to you our new order No.123 for delivery in May 2007, which cancel and **replace** our orders No.121 and No.122.

  弊社注文番号121と122をキャンセルおよび取り替えする、2007年5月配送の新規注文番号123をお送りします。

> 「〜を取り替える、〜に取って代わる」という意味で用います。

- Our customer recently ordered 500 pieces of hair-gel and **unfortunately** the bar-code labels were missing. They have asked if the labels can be sent over to their warehouse in Hong Kong as soon as possible.

  弊社顧客が最近ヘアジェルを500本購入しましたが、困ったことにバーコードラベルがついていませんでした。顧客は、ラベルを彼らの香港の倉庫までできるだけ早く送ってもらえるか問合せをしてきています。

- We had 50 boxes sent back to our warehouse from your warehouse and **unfortunately** a few of the boxes were damaged.

  御社倉庫から弊社倉庫へ送り返された50個の箱がありましたが、残念ながら、そのうちいくつかが損傷を受けていました。

Part 4

> 「残念ながら、不幸なことに、困ったことに」という意味で、起きてほしくないことが起こった時や、失敗があった時に用います。

- As a matter of urgency, can you please forward the document by noon tomorrow so we can submit it **along with** samples by the end of tomorrow.

  緊急事項ですが、明日の終わりまでにサンプルと一緒に提出できるように、書類を明日の正午までにお送りください。

> 「**along with** 〜　〜と一緒に（〜を添えて）」という意味で用います。
> 「〜を一緒に〜したいので」と説明する場合に便利です。

3 「結び」で使えるセンテンス

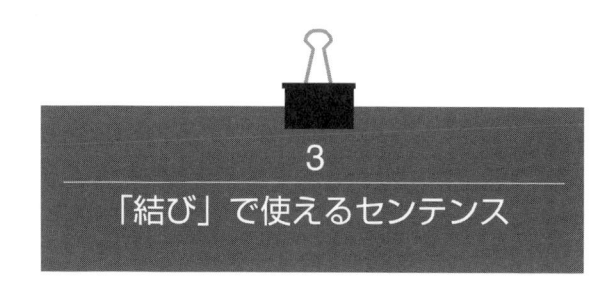

(1) 決まったタームを使って結ぶ場合
(2) 感謝しながら結ぶ場合
(3) 謝りながら結ぶ場合
(4) その他

　結びでは決まり文句を用いるのが普通です。その決まり文句の使用には、決まりきったセンテンスを用いる場合と、それらのセンテンスを応用して用いる場合（単語を替えて使う場合など）があります。本節で紹介するセンテンスも、そのまま使うか必要に応じて応用してみると良いでしょう。

(1) 決まったタームを使って結ぶ場合

■ look forward to ～　～を楽しみにしています

・I look forward to hearing from you.
　お返事を楽しみにしています。

・I look forward to hearing from you soon.
　近くお返事頂けることを楽しみにしています。

・I look forward to your information.
　あなたからの情報を楽しみにしています。

- I look forward to your reply [response].
ご返答を楽しみにしています。

- I look forward to your positive response to the proposal.
この提案に前向きな返答が頂けるのを楽しみにしています。

- I look forward to your additional comments tomorrow morning.
明朝あなたから追加のコメントを頂けることを楽しみにしています。

- I look forward to your comments once your R&D examined them.
御社の研究開発部がそれらを試験されたら、あなたからコメントを頂けるのを楽しみにしています。

- I look forward to reviewing your comment in due course.
順を追ってあなたのコメントを拝見するのを楽しみにしています。

- I look forward to receiving the revised proforma invoice.
修正した注文請書を受け取るのを楽しみにしています。

- I am looking forward to your prompt reply on this matter.
この件に関して早くご返答頂けることを楽しみにしています。

- I look forward to hearing from you after you return.
お帰りになってからご連絡頂けるのを楽しみにしています。

- I am looking forward to meeting you next week. I wish you a safe journey here.
来週お会いできるのを楽しみにしています。こちらまで安全な旅をしてください。

> 「look forward to ～」は、「～を楽しみにしている」という意味ですが、決まり文句で使う場合には、必ずしも「楽しみだ」という意味ではなく、単なる決まり文句であると考えてください。
>
> 英文ビジネスレター・Eメールでは、「wait for ～（～を待っています）」は少し脅迫めいたニュアンスを持ちます。日本語で「～をお待ちしています」という表現をするのは極めて普通のことですが、英語では「look forward to ～」を用いるようにしましょう。

■ Please ～ if ... ＝ Please ～ should you ...
　もし…であれば～してください

- Please feel free to contact us if you have any questions.
  ご質問があれば何なりとお問合せください。

- Please contact me should you need further information.
  更に情報が必要であればご連絡ください。

- Should you require any further information, please do not hesitate to contact us.
  更に情報が必要であれば、どうぞご連絡ください。

- Please call me if you have any questions.
  ご質問があれば、どうぞお電話ください。

- Please advise if this causes any problems.
  これで問題が起きるようであればお知らせください。

- If you have a problem, then please do not hesitate to get in touch.
  もし問題があれば、どうぞご連絡ください。

- Please do not hesitate to contact us if you have any questions or comments.
  ご質問やご意見があれば、どうぞご連絡ください。

- If you have any questions concerning this request, please do not hesitate to contact me.
  このリクエストについてご質問があれば、どうぞご連絡ください。

- If you have any questions relating to the reports, please do not hesitate to ask.
  このレポートについてご質問があれば、どうぞお尋ねください。

- Please don't hesitate to contact me if you need to clarify any points of detail.
  詳細のどの点でも明らかにする必要があれば（不明な点があれば）、どうぞご連絡ください。

- If you have any queries, then please do not hesitate to contact either Kenji or myself.
  何かご質問があれば、どうぞ健司か私にまでご連絡ください。

- Any queries, then please contact me.
  何か質問があれば、どうぞご連絡ください。

---

do not hesitate to〜 ＝ 〜するのを躊躇しない

■ Please let me know～　伝えてください、教えてください

・Please let me know.
　どうぞお伝えください。

・If you could please let me know.
　どうかお伝えください。

・Please let me know if I can be of further help.
　まだご支援できることがあれば、どうぞお教えください。

・Please let me know if you need anything more.
　まだ必要なことがあれば、どうぞお伝えください。

・Please let me know if you need further information.
　更に情報が必要な場合は、どうぞお教えください。

・Please let me know if you have any queries.
　ご質問がおありでしたら、どうかお伝えください。

■ Please advise　お知らせください

・Please advise.
　どうかお知らせください。

・Please advise if you require any further information.
　更に情報が必要な場合は、どうぞお知らせください。

・Please advise as to when I may receive this.
　私がこれをいつ頃受け取ることができるかお知らせください。

- Please advise if this creates any problems.
  これで問題が起きるようであれば、お知らせください。

- Please advise of your findings.
  見つけたこと（分かったこと）があれば、ぜひお知らせください。

> let me know, advise などの日本語訳として「伝えてください、教えてください、お知らせください」にあまりこだわらないようにしてください。便宜上区別していますが、これらはすべて同じような意味です。

■ I hope 〜　〜だと良いのですが

- I hope this is of interest and help.
  これが興味を引いて役立つものであると良いのですが。

- I hope this helps, let me know if you require any further information.
  これがお役に立つと良いのですが。他に情報が必要であれば教えてください。

- I hope this is not too confusing — It is hard to describe by e-mail.
  これが混乱しすぎでないと良いのですが ―― E メールだと説明が難しいのです。

- I hope this is now a bit clearer, sorry for the confusion.
  これで少し明確になれば良いのですが。混乱させてすみません。

- I hope this information would be helpful.
  この情報が役立つと良いのですが。

・I hope this helps resolve your query.
これがあなたの疑問を解決するのに役立つと良いのですが。

・I hope this is of help.
これが役立つと良いのですが。

・Hopefully the attached list is of some use.
添付のリストがいくらか役立つと良いのですが。

■ be appreciated / appreciate　幸いです

・Your immediate [prompt] attention would be appreciated.
すぐに考慮して頂ければ幸いです。

・Your immediate attention to this matter would be appreciated.
この件に関して、すぐに考慮して頂ければ幸いです。

・We would appreciate your prompt attention on this matter.
この件に関して、速やかに考慮して頂ければ幸いです。

・Your prompt [earliest] reply would be appreciated.
速やかに[最速で]ご返答頂ければ幸いです。

・Your urgent attention to this matter would be appreciated.
この件に関して、早急に考慮して頂ければ幸いです。

> be appreciatedは直訳すると「感謝します、評価します」となりますが、実際の意味合いとしては「幸いです」「お願いします」であると捉えてください。

（2）感謝しながら結ぶ場合

・Thank you.／Thanks.
　有難うございます。／有難う。

・Many thanks.
　どうも有難うございました。

・Thank you for your help.
　助けて頂き有難うございました。

・Thanks for your help.
　助けてくれて有難う。

・Thank you for all your help.
　いろいろと助けて頂き有難うございました（すべての支援に感謝します）。

・Many thanks for your help.
　助けて頂き、どうも有難うございました。

・Thank you very much for your attention to detail.
　詳細まで注意を払って頂き、どうも有難うございました。

・Thank you for your assistance in this matter.
　この件に関して支援して頂き有難うございました。

・Many thanks for your assistance in this matter.
　この件に関して支援して頂き、どうも有難うございました。

・Many thanks for your help and assistance.
　支援して助けて頂き、どうも有難うございました。

・We thank you for your understanding on this matter.
　この件に関してご理解頂き有難うございます。

・Thank you for your kindest understanding on this matter.
　この件に関して、大変大らかにご理解頂き有難うございます。

・Thanks for reading this.
　これを読んでくれて有難う。

・Thanking you in advance for your continued support in this area.
　この範囲（の事柄）について、継続的に支援してくださることを前もって感謝します。

・Thank you for the positive advice.
　前向きなアドバイスを頂き有難うございます。

(3) 謝りながら結ぶ場合

・Our apologies for any inconvenience.
　ご迷惑をお掛けして申し訳ありません。

・I apologize again for the delay.
　遅れましたことをもう一度お詫びします。

(4) その他

- Please confirm.
  ご確認お願いします。

- Please confirm by return.
  折り返しご確認ください。

- These are required as a matter of urgency.
  これらは緊急を要する事柄です。

- I trust this information is of use.
  この情報は役立つものと信じています。

- I will keep you informed of any additional information as it comes to hand.
  追加情報が入り次第お伝えするようにします。

- Please get back to me whether this is OK.
  これで良いかどうかお知らせください。

- I will let you know if we win the business.
  取引を勝ち取ったらお伝えします。

- I will forward it as soon as received.
  受け取ったらすぐにお送り（転送）します。

- Have a superb holiday.
  とびきりすばらしい休暇を過ごしてください。

・Have a nice weekend.
　良い週末をお過ごしください。

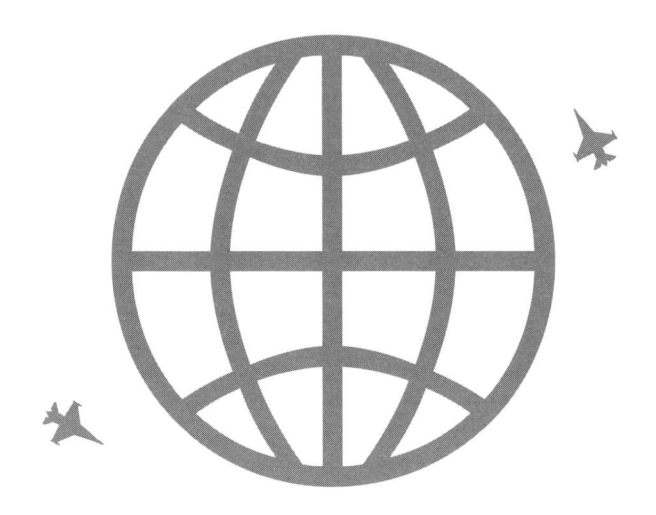

著者略歴
Profile

松崎久純(まつざき・ひさずみ)

1967年生まれ。メーカー勤務などを経て、現在、サイドマン経営・代表。グローバル人材育成の専門家。慶應義塾大学大学院システムデザイン・マネジメント研究科非常勤講師。南カリフォルニア大学東アジア地域研究学部卒業、名古屋大学大学院経済学研究科修了。

国際事業や組織マネジメントの分野で、企業におけるコンサルティング・研修講師の経験が豊富。25カ国100都市以上での業務経験がある。「英文ビジネスレター・Eメールの書き方」の指導歴は長く、製造現場や改善などにかかわる「ものづくりの英語」という分野をつくり上げた実績もある。

著書に、『現場で役立つ 英会話でトヨタ生産方式』(日刊工業新聞社)、『ものづくりの英語表現 増補版』、『ものづくりの英会話 5Sと作業現場』(いずれも三修社)、『英語で学ぶトヨタ生産方式――エッセンスとフレーズのすべて』、『音読でマスターするトヨタ生産方式〔普及版〕――英語で話すTPSのエッセンス』、『ものづくり現場の英会話ハンドブック』、『究極の速読法――リーディングハニー®6つのステップ』、『英文ビジネスEメールの正しい書き方(実践応用編)』、『英文ビジネスレターは40の構文ですべて書ける』、『海外人材と働くための生産現場の英語エッセンシャル』(いずれも研究社)など多数。

英文ビジネスレター＆Ｅメールの正しい書き方

2004年9月24日　初版発行
2023年3月17日　21刷発行

著者
松崎久純
©Hisazumi Matsuzaki, 2004

発行者
吉田尚志

KENKYUSHA
〈検印省略〉

発行所
株式会社　研究社
〒102-8152　東京都千代田区富士見2-11-3
電話　営業 (03)3288-7777（代）　編集 (03)3288-7711（代）
振替　00150-9-26710
https://www.kenkyusha.co.jp/

印刷所
図書印刷株式会社

装丁
吉崎克美

本文デザイン・DTP
古正佳緒里

ISBN978-4-327-43053-5　C1082　Printed in Japan